3

Caravaggio

Una rivoluzione
terribile
e sublime

LEONARDO ARTE

Sommario

Guida alla consultazione

La collana presenta la vita e le opere degli artisti nel contesto culturale, sociale e politico del loro tempo. Per offrire al lettore uno strumento adatto alle esigenze di informazione e di studio, piacevole e facile da consultare, l'argomento di ciascun volume è diviso in tre grandi sezioni, riconoscibili grazie alle bande laterali di colore diverso: giallo per le pagine dedicate alla vita e alle opere dell'artista, azzurro nelle parti sul contesto storico e culturale, rosa per l'analisi dei capolavori. Ogni doppia pagina approfondisce un tema specifico, con un testo introduttivo e varie illustrazioni commentate. Il lettore può così scegliere liberamente il metodo e la sequenza di consultazione, seguendo il dipanarsi dei capitoli oppure sviluppando percorsi personalizzati. Completano l'informazione l'indice dei luoghi e l'indice dei nomi, anch'essi illustrati per rendere immediata l'individuazione di opere, protagonisti, località geografiche.

■ A p. 2: Ottavio Leoni, *Ritratto del Caravaggio*, prima del 1650, Firenze, Biblioteca Marucelliana.

1571-1592

1592-1600

1571-1592

Caravaggio, *I bari*, particolare, 1594-95 c., Hartford, Wadsworth Atheneum

La pittura alla fine del Rinascimento

Milano sotto la Spagna

■ La macchina del "Monte Etna con teatro et piedistalli eretti nella piazza del Duomo in Milano" per celebrare la nascita dell'infante di Spagna testimonia feste e "allegrezze" degli spagnoli tra '500 e '600.

L'ambiente della prima formazione di Caravaggio è Milano, provincia spagnola dal 1535, quando Carlo V d'Asburgo aveva occupato città e ducato alla morte senza eredi di Francesco II Sforza. Lo stato indipendente si era così trasformato a poco a poco in uno stato vassallo. Al fine di escludere, o comunque ridurre al minimo, il rischio che una certa autonomia prendesse la pericolosa forma dell'opposizione, gli spagnoli avevano sottomesso alla loro politica le strutture amministrative del ducato, senza tuttavia giungere a escludere i milanesi e i lombardi dal governo. Molti milanesi, inoltre, erano membri del Senato, che rappresentava la più autorevole magistratura dello Stato accanto al governatore. In realtà la partecipazione a questi organi era riservata a una élite piuttosto ristretta, cosicché in breve tempo si era rafforzato notevolmente il ceto del patriziato cittadino, formato dalle antiche famiglie nobili e da quelle successivamente arricchitesi con il commercio. Si era perciò diffusa una nuova, convinta ideologia nobiliare per la quale acquisirono grande importanza le questioni d'onore, di fasto, di duelli. Alla fine del secolo la città, pur avendo acquisito esperienza politica e sociale, si trovava in una situazione economica di depressione; il popolo era ancora legato alle corporazioni delle arti e mestieri e trovava protezione nell'autorità ecclesiastica, principalmente nelle forti personalità dei vescovi Carlo e Federico Borromeo. Questi, in pieno clima di Controriforma, avevano individuato in Milano il centro ideale nel quale operare, e l'avevano fatto diventare la città più importante sotto l'aspetto morale, religioso, politico-sociale.

■ Tiziano, *Ritratto di Carlo V a cavallo*, 1548, Madrid, Museo del Prado. L'imperatore visitò Milano nel 1541 promulgando in questa occasione le "Nuove costituzioni", nell'intento di dare allo Stato un'assetto stabile.

■ Il castello di Milano, chiamato ancora di Porta Giovia, fu più volte fortificato dagli spagnoli, prima con la ghirlanda, nel 1537, poi con rafforzamenti a mezzaluna nella prima metà del Seicento.

■ Sofonisba Anguissola, (attr.), *Ritratto di Filippo II*, Madrid, Museo del Prado. Detto il Prudente, nominato duca di Milano nel 1540, acquisisce ufficialmente il potere sullo Stato in occasione delle nozze con Maria d'Inghilterra nel 1554.

■ Tiziano, *Allocuzione di Alfonso d'Avalos*, Madrid, Museo del Prado. Marchese del Vasto e di Pescara, fu il primo governatore di Carlo V sullo Stato di Milano (1538-1546): è ricordato come pessimo amministratore.

■ *Porta Romana*, acquaforte, 1820, Milano, Raccolta Bertarelli. L'arco fu costruito per l'ingresso in Milano di Maria Margherita d'Austria, prima delle nozze con Filippo III nel 1598.

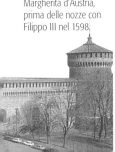

Un giovane di temperamento

Confuse e poco documentate le notizie sulle origini e i primi anni di vita di Michelangelo Merisi. È ormai accertata la data di nascita il 29 settembre (San Michele Arcangelo) del 1571. Non si sa però se a Caravaggio, paesino della bergamasca di cui è originaria la famiglia, o a Milano, dove il padre Fermo dimora dal 1563 al 1576. Nel capoluogo è giunto probabilmente al seguito di Francesco I Sforza, marchese di Caravaggio, suo protettore e datore di lavoro, presso il quale risulta essere "magister" (termine vago che indica diverse attività, da quella dell'artista a quella del capomastro). Passata la prima infanzia a Milano, all'età di cinque anni il piccolo Michelangelo si trasferisce con la famiglia a Caravaggio, per sfuggire il contagio della terribile peste del 1576. Nonostante ciò muoiono a causa del morbo il padre e il nonno Bernardino; da questo momento i documenti testimoniano le difficoltà in cui, a più riprese, si trova la mamma del pittore, Lucia Aratori, negli sforzi di mantenere la famiglia (Caravaggio aveva una sorellastra, due fratelli e una sorella) e di gestire l'eredità, anche negli scontri con i parenti del marito. A questi problemi si somma nel 1583 la morte del marchese di Caravaggio, avvenuta proprio nel momento in cui entra nella storia dei Merisi la presenza dei nobili Colonna: fino alla maggiore età di Muzio II Sforza Colonna il marchesato viene retto da Costanza Colonna, la cui protezione sui Merisi durerà fino alla fine degli anni romani.

■ Una mano che stringe un mazzo di spighe sotto un'aquila ad ali spiegate: non è lo stemma dei Merisi, famiglia borghese, non nobile, bensì dei loro protettori, i marchesi di Caravaggio.

■ Caravaggio, *Il sacrificio di Isacco*, 1597 c., particolare, Firenze, Galleria degli Uffizi. In una delle prime opere (probabilmente degli anni novanta) Caravaggio dà un saggio della sua forza innovativa dipingendo un Isacco urlante e un angelo a livello degli uomini.

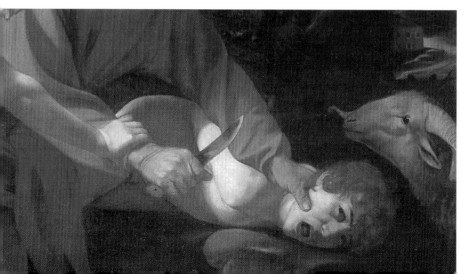

LE VITE
DE' PITTORI
SCVLTORI
ET ARCHITETTI.

Dal Pontificato di Gregorio XIII.
del 1572. In fino a'tempi di Papa
Vrbano Ottauo nel 1642.

SCRITTE

DA GIO. BAGLIONE ROMANO

E DEDICATE

All'Eminentissimo, e Reuerendissimo Principe

GIROLAMO
CARD. COLONNA.

IN ROMA,
Nella Stamperia d'Andrea Fei. MDCXLII.

Con licenza de'Superiori.

■ Frontespizio di
*Le vite dei pittori,
scultori et architetti*
di Giovanni Baglione.
Il pittore romano dedicò
la sua opera al cardinale
Girolamo Colonna
"eminentissimo
e reverendissimo
principe". L'opera è
divisa in "giornate"
la quarta delle quali
contiene la vita
di Michelangelo
da Caravaggio, pittore.
Benché avversario
del Merisi per il diverso
orientamento artistico,
il Baglioni ne riconosce
il genio eccezionale e
la grande fama ottenuta.

■ Anonimo, *Ritratto
di Caravaggio*,
incisione, XVII secolo,
Milano, Raccolta
Bertarelli. Eseguita
riproducendo un
disegno di Ottavio
Leoni, rappresenta
l'immagine più fedele
tra quelle conosciute
del pittore. Lo sguardo
serio e un po' scontroso
che ci tramanda di
Caravaggio rispecchia
quel suo carattere,
divenuto leggendario,
che comincia a forgiarsi
nei primi anni della
sua vita e fin dall'inizio
si presenta tutt'altro
che semplice.

MICHELANG.°
MERIGI
DA
CARAVAGGIO

1571-1592

La "pittura della realtà" e la tradizione lombarda

Nel Cinquecento in quasi tutta Italia si diffonde una maniera pittorica dai modi artificiali, sempre più lontana dal dato di natura. Solo in Lombardia sembra essere più forte una maniera espressiva che si basa su peculiarità regionali già viste nei secoli precedenti. Si vogliono evitare mediazioni stilizzanti, prediligendo semplicità e attenzione al particolare per giungere alla rappresentazione del reale. Così i lombardi, forti della tradizione che li ha preceduti, si inseriscono nel filone della "pittura della realtà". Fin dal Quattrocento alcuni artisti avevano condotto le proprie ricerche su basi empiriche. Così aveva fatto Vincenzo Foppa, interessato alla percezione degli effetti della luce e dell'ombra. Ma fondamentale fu anche la presenza di Leonardo, che per vie diverse era giunto a proporre la verità di rappresentazione mediante l'indagine scientifica. Tali premesse divengono nel Cinquecento simboli da riproporre e confrontare con le nuove tendenze artistiche, in particolare nell'area orientale della regione, significativamente a stretto contatto con le esperienze venete.

■ Vincenzo Foppa, *Il miracolo di Narni*, particolare, Milano, cappella Portinari. Terminate nel 1468, le *Storie di san Pietro martire* esprimono i più vivi e alti valori della tradizione lombarda: dal naturalismo al vigore plastico, dalla verità delle figure all'ambientazione.

■ Romanino, *La paga degli operai*, 1532, Trento, castello del Buon Consiglio. La vivacità delle scene affrescate deriva dal ritrovato gusto per la narrazione popolare resa con realismo e forte espressionismo con evidenti richiami alla pittura nordica.

■ Tiziano, Angelo Gabriele, 1522 c., particolare dal *Polittico Averoldi*, Brescia, chiesa dei SS. Nazaro e Celso. Gli splendidi effetti di luce sulla figura dell'angelo dipinta su un fondo scuro sono un precedente cui si rifanno i pittori bresciani del Cinquecento.

■ Leonardo da Vinci, *La Vergine delle rocce* 1483-85, Parigi, Musée du Louvre. L'opera fu collocata per un certo periodo nella chiesa di San Francesco Grande a Milano, dove è probabile che Caravaggio potesse ammirare lo studio di Leonardo sugli elementi della natura.

■ Moretto da Brescia, *Pala Rovelli*, 1540 c., Brescia, Pinacoteca Tosio Martinengo. Pur nelle forme monumentali della cultura figurativa romana, i personaggi mantengono la semplicità popolana: l'alta sensibilità naturalistica raggiunta dal Moretto porta la rappresentazione sacra devozionale a scena di immediatezza e verità, che anticipa il Caravaggio.

Le lezioni del maestro e i grandi miti dell'arte

Nel 1584 Michelangelo, appena tredicenne, torna a Milano, forse per seguire la volontà del padre, o forse per realizzare il proprio desiderio di studiare pittura. Il suo maestro Simone Peterzano è un pittore bergamasco di probabile formazione veneziana che ama firmarsi "Titiani alumnus". Dal Lomazzo, suo contemporaneo, è lodato per la somma "vaghezza e leggiadria", caratteristica principale dei suoi affreschi, di cui si trova traccia anche nel giovane Caravaggio. Anche il Peterzano sembra inizialmente orientato, come lo erano i fratelli Campi, verso il "naturalismo empirico" della tradizione lombarda, seguendo al tempo stesso i canoni del manierismo nelle forme arabescate e nei contrasti di colore, come erano stati fissati nel trattato del Lomazzo. Il Peterzano inoltre si adegua al clima rigorista milanese, soprattutto nelle pale d'altare. Questi aspetti, insieme al magistero tecnico del suo primo maestro, saranno riproposti dal Caravaggio, in polemica con la pittura tradizionale nelle prime opere romane come *Ragazzo morso dal ramarro* o il *Bacchino malato*. Si è ormai chiusa la grande stagione del Rinascimento definitivamente sostituita dal manierismo, "summa" del quale è il *Trattato* del Lomazzo, stampato proprio nel 1584.

■ Simone Peterzano, *Venere e Cupido con due satiri*, 1573 c., New York, collezione Corsini. Importante documento della formazione veneziana. La varietà degli impasti nei nudi maschili è dovuta a una tecnica appresa poi da Caravaggio.

■ Anonimo, *Studenti nella bottega del maestro*, 1682 c., incisione, Milano, Raccolta Bertarelli. Il 6 aprile 1584 Caravaggio stringe un contratto col Peterzano, con il quale si impegna per quattro anni di apprendistato durante i quali vivrà presso il maestro, che dovrà fare di lui un pittore capace di lavorare in proprio.

■ Tiziano, *Incoronazione di spine*, 1542-44, Parigi, Musée du Louvre. Tra le opere che il Merisi può studiare negli anni di apprendistato a Milano vi è probabilmente anche questa realizzata da Tiziano per la cappella di Santa Corona nella chiesa di Santa Maria delle Grazie.

■ *Certosa di Garegnano*, 1820 c., incisione, Milano, Raccolta Bertarelli. Simone Peterzano realizza – ultimo grande impegno milanese – le decorazioni ad affresco del presbiterio e della chiesa della Certosa a partire dal 1578.

15

Suonatore di liuto

Realizzato per Vincenzo Giustiniani entro il 1596, è uno dei risultati più alti della fase giovanile. Ora all'Ermitage di San Pietroburgo, pone l'accento sulla musica e per questo è da interpretare come emblema dell'armonia.

■ Un secondo *Suonatore di liuto* (1596-97, New York, collezione privata) fu realizzato da Caravaggio per il cardinale Del Monte. Pensato dapprima con gli stessi elementi, ossia fiori e frutta alternati a strumenti musicali, per simboleggiare il contrasto tra arte e natura come emblema dell'armonia, viene poi realizzato mantenendo la sola presenza degli strumenti musicali, e aggiungendo al posto della frutta una spinetta.

■ Caravaggio, *Concerto di giovani*, particolare, 1595-96 c., New York, The Metropolitan Museum of Art. Nella prima opera dipinta presso il cardinale Del Monte, primo protettore del Merisi a Roma, fa la sua comparsa il tema della musica, con alcuni giovani che suonano e cantano rapiti dalla melodia. Al centro della scena vi è l'immagine di un giovane suonatore di liuto. Potrebbe essere stata quest'opera a influenzare la scelta del soggetto da parte del Giustiniani.

■ *Armonia,* dal testo di *Iconologia* di Cesare Ripa (Roma 1603). L'Armonia, rappresentata da una donna con una lira doppia di quindici corde, una corona di sette gioie sul capo e un vestito di sette colori, riprende il concetto platonico dell'armonia delle sfere.

■ Caravaggio, *Riposo durante la fuga in Egitto*, particolare, Roma, Galleria Doria Pamphilj. Torna la musica in un'altra opera giovanile dal delicato lirismo: l'angelo che suona il violino, posto di spalle, permette di riconoscere lo spartito, chiave di lettura di tutta l'opera.

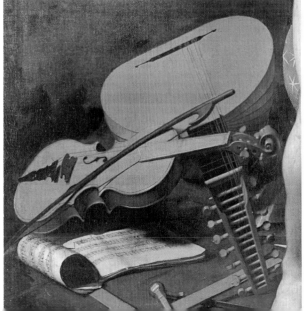

■ Strumenti musicali in forma di straordinaria natura morta ricorrono nell'*Amore vincitore*, anch'esso dipinto per il marchese Giustiniani (ora a Berlino, Staatliche Museen).

Artisti lombardi a Roma

Il movimento di artisti che dai centri e dalle valli lombarde si dirigono verso Roma era cominciato nel XV secolo. Ora più di allora Roma è il massimo centro culturale della penisola e accoglie, col principale scopo di rendersi più bella, pittori, scultori, architetti che formano una vera e propria "colonia" assai industriosa, dedita alla costruzione di chiese, ospedali, palazzi. In questo modo la città raggiunge quasi il monopolio non solo dell'architettura, ma anche della produzione scultorea e delle arti minori. Gli architetti trasformano la città creando soluzioni di passaggio graduale verso la nuova epoca barocca. Per alcuni di loro giungere a Roma è trovare la fortuna, magari grazie alla benevolenza di un papa, come accade a Domenico Fontana, che riesce a far approvare una particolare "maniera lombarda" a Sisto V. L'orientamento dei pittori, invece, non si presenta particolarmente innovativo: essi preferiscono mantenersi su una linea manierista, coltivata sulla conoscenza di Michelangelo e rivisitata sulla base dell'impostazione regionale. Non tutti i lombardi che giungono a Roma vi si fermano: in alcuni casi il soggiorno si limita a un momento di formazione o di maturazione artistica.

■ La facciata della basilica di San Pietro conclusa dal Maderno (1607-12) rispetta l'opera di Michelangelo ma sa aprirsi anche a nuove forme barocche.

■ Chiesa di Santa Maria in Vallicella. Cominciata nel 1576 da Matteo Bartolini, è portata a compimento da Martino Longhi il Vecchio.

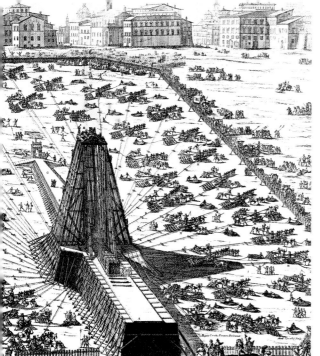

■ Pellegrino Tibaldi, *Adorazione dei pastori*, 1549, Roma, Galleria Borghese. In questa che è una delle opere più rappresentative della produzione romana di Tibaldi, il pittore mostra di aver accolto l'insegnamento di Michelangelo, nel costruire la composizione con una folla di figure, derivate in buona parte dai modelli del *Giudizio Universale*.

■ *De translatione Obelisci Vaticani suscepta quae, prout ab eodem descriptia fuit, exibetur*, 1586, incisione, Milano, Raccolta Bertarelli.

L'innalzamento in piazza San Pietro dell'antico obelisco proveniente dal Circo Neroniano fu un'impresa grandiosa, esemplare delle attività frenetiche volte alla

ricostruzione di Roma al cui progetto lavorò un architetto venuto dalla Lombardia: Domanico Fontana.

■ Pomarancio, *Discesa dalla croce*, 1585 c., particolare, Roma, Santa Maria in Aracoeli. L'artista lombardo risente di retaggi toscani forse recepiti a Roma. Nell'esecuzione di questi che sono i suoi affreschi più belli mostra un cromatismo chiaro che richiama le tonalità dell'ambiente toscano.

I "precedenti" di Caravaggio

Ma da chi ha davvero imparato Merisi, non solo per quanto riguarda la tecnica, ma l'indagine sulla natura, sulla luce, sugli scorci e sui soggetti? Nel corso degli anni che di lui ci sono meno noti dovette assorbire il gusto per l'indagine naturale e conseguire i risultati che già avevano caratterizzato la tradizione regionale lombarda. La sua formazione cominciò con la pittura del Rinascimento, in particolare l'opera del Foppa (fondamentale per il raggiungimento di una rappresentazione viva e realistica) e di Mantegna, maestro negli studi sulla prospettiva, gli affreschi mantovani di Giulio Romano, fino al manierismo dei Campi. È probabile che Caravaggio compia viaggi di istruzione fuori dell'area ristretta di Milano e del suo paese, forse spingendosi fino a Venezia. È certo comunque che venga a conoscenza della pittura veneta grazie all'osservazione delle opere dei pittori bresciani operanti nell'area orientale della regione, Moroni, Moretto, Savoldo, i quali avevano maturato uno stile coloristico in affinità con le tendenze della pittura del Veneto (vicini a Giorgione, Lotto e Tiziano).

■ Giovanni Girolamo Savoldo, *Ritratto di giovane*, 1524 c., Parigi, Musée du Louvre. Savoldo ottiene, grazie a un uso magistrale del chiaroscuro, un risalto tridimensionale cui aggiunge il sapiente impiego del colore nella sciarpa dorata e nelle pieghe delle stoffe, offrendo uno spunto alla pittura di Caravaggio.

■ Raffaello, *Liberazione di san Pietro*, particolare, 1514, Roma, Musei Vaticani, stanza di Eliodoro. Un precedente assoluto per l'uso della luce e del "chiaroscuro" appreso da Caravaggio attraverso Savoldo e i fratelli Campi.

■ Giulio Romano, *Nozze di Amore e Psiche*, 1527-31, Mantova, palazzo Te. Le invenzioni di Giulio Romano riprendono gli scorci e la prospettiva di Mantegna a Mantova.

■ Caravaggio,
Pittura murale Ludovisi,
1597-98 c. L'unica
pittura murale
dell'artista che,
secondo il cammino
di apprendimento
dell'epoca, doveva
conoscere tutte le
tecniche pittoriche.
Risente decisamente
di una influenza
mantegnesca nello
studio dei corpi scorciati.

Caravaggio e i bresciani

Sono fondamentali per il Merisi le
conquiste dei bresciani, in particolare di Savoldo specializzato nello
studio della luce. Egli raggiunse
risultati di grande effetto poetico,
per esempio nella definizione di
lume all'interno, negli esperimenti
sul notturno (come nella *Natività*,
1540, Brescia, Pinacoteca Tosio
Martinengo) e sulla resa della luce
artificiale. Per questa tendenza,
che lo avvicina talvolta a Lotto, il
Savoldo è riconosciuto tra i più
importanti preparatori del luminismo caravaggesco.

Riposo durante la fuga in Egitto

Databile al 1599 e conservata a Roma presso la Galleria Doria Pamphilj, si ritiene ispirata al Cantico dei Cantici. Il testo musicale nelle mani di San Giuseppe, infatti, di origine franco-fiamminga, riprende alcuni versetti del libro biblico.

■ Alla destra dell'angelo è l'Antico Testamento, simbolicamente rappresentato dalle pietre, aride e senza vita, e dalla terra brulla, ricordo della schiavitù in Egitto.

■ Il bucolico paesaggio alle spalle della Vergine riprende il motivo veneto della figurazione sacra del paesaggio. Un paesaggio così aperto è un unicum nella pittura del Caravaggio.

■ Maria è resa simile alla sposa del Cantico: i suoi capelli tendenti al rosso corrispondono a "Le chiome del tuo capo sono come porpora del re", il colore del sangue salvifico del Redentore. Abbandonata nel sonno e nell'abbraccio dello sposo Gesù, richiama un altro versetto: "io dormo, ma il mio cuore veglia".

■ Ai piedi della Vergine, colei che ha accolto l'annuncio, uno dei primi studi sulla natura del Merisi: il tasso barbasso, allusivo forse alla radice di Jesse e simbolo della terra promessa.

Caravaggio, *La buona ventura*, particolare, 1594-95, Roma, Pi

Per le strade di Roma

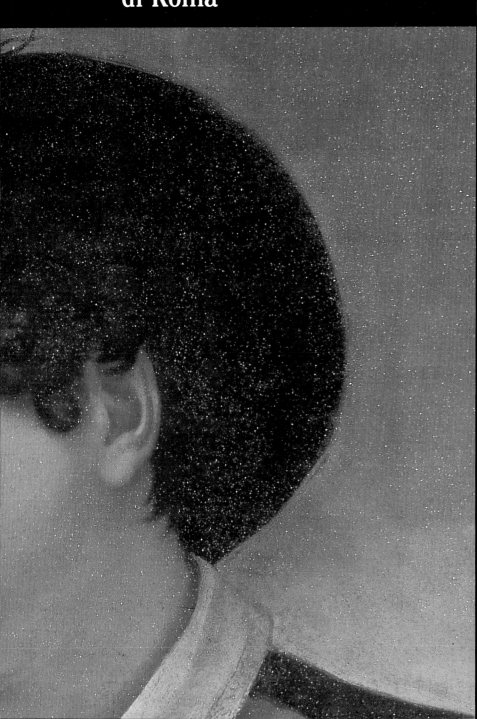

LA VITA E LE OPERE

Un ambiente difficile

Alcuni anni dopo l'apprendistato presso il Peterzano, durante il quale fece forse un viaggio nelle provincie orientali della Lombardia o a Venezia, Caravaggio giunge a Roma dove la sua presenza è documentata dal 1596. L'ambiente artistico che trova è quello dell'ultima maniera, ancora rivolta a Raffaello e Michelangelo. Vi si respira un'aria assai diversa da quella milanese: la corte pontificia e l'intero contesto culturale dell'Urbe non si attengono rigidamente agli schemi della Controriforma (come avviene in Lombardia), ma vivono secondo modelli umanistici, tra letterati e artisti. Caravaggio è introdotto presso il cavalier d'Arpino, primo pittore di Roma e artista "moderno", continuatore dei maestri del Cinquecento. Dotato di ottima tecnica, possiede cultura, raffinatezza intellettuale e grande senso degli affari. Presso la sua scuola passano molti pittori di diversa origine e cultura, anche stranieri, come Floris Claszoon van Dijk e Jan Breughel dei Velluti. Caravaggio si esercita sui modelli classici, apprende metafore e allegorie e, su richiesta del d'Arpino, realizza nature morte in competizione con i modelli delle Fiandre. È una pratica quasi del tutto manuale che non lo entusiasma, ma la produzione di questo periodo, in cui riesce a fondere le conoscenze lombarde con il mondo romano-fiammingo, è un primo passo che lo condurrà alle prossime importanti committenze.

■ Il cardinal Del Monte, cultore di scienza e amico di Galileo, fine amatore di musica, raffinato uomo di mondo, insegnò forse a Caravaggio la prospettiva, la proiezione delle ombre, la razionalizzazione del dato naturale.

■ Michelangelo, *Lunetta di Ezechia,* 1508 c., Roma, cappella Sistina. Negli affreschi michelangioleschi della Sistina si avverte l'evoluzione stilistica che porterà alla maniera.

■ Roma, chiesa di Santa Maria della Consolazione. Probabilmente durante il periodo arpiniano, o poco prima, il Merisi deve essere ricoverato, non è ben chiaro se per una malattia o per un infortunio, all'ospedale della Consolazione. Il Mancini registra che in questa circostanza i d'Arpino non l'andarono neppure a trovare e da qui si sarebbe guastato il loro rapporto.

■ Taddeo Zuccari, *Danza di Diana e ninfe*, 1553, Roma, Villa Giulia. Con Baccanali e scene mitologiche, l'autore tenta il recupero del raffaellismo classicistico, lasciando però percepire un senso di distacco per quello che pare un mondo ormai lontano.

1592-1600

Le iniziative di papa Sisto V

Il pontificato di Sisto V vede la ricostruzione di Roma, coerentemente con il programma politico del papa che mira a riacquistare una funzione politica dominante. Riportati ordine e tranquillità nello Stato Pontificio, eliminati il brigantaggio e il pericolo dei corsari, viene raggiunta la restaurazione economico-finanziaria che permette l'avvio delle trasformazioni urbanistiche. Con l'intervento di Domenico Fontana la città è abbellita e rinnovata profondamente: l'architetto progetta l'apertura di via Sistina e delle vie che da Santa Maria Maggiore portano a San Giovanni in Laterano, a Santa Croce in Gerusalemme e a San Lorenzo, senza incidere su tessuti urbani preesistenti. Nello stesso tempo vengono risistemati i colli Viminale, Esquilino e Pincio, distruggendo molti resti romani per trarne materiale da costruzione e per riutilizzare gli antichi obelischi come ornamento nelle piazze per le quali vengono realizzate anche splendide fontane. Interessato anche alla pittura, il papa promuove l'omogeneità delle figurazioni, perseguendo un fine morale coinvolgente per favorire un più profondo consenso attraverso l'esaltazione dei luoghi storici di culto. Per questo negli anni del suo pontificato molti artisti si adeguano a un linguaggio comune.

■ *Piazza Navona*, acquaforte di Israel Silvestre, 1776, Milano, Raccolta Bertarelli. Verso la fine del pontificato di papa Peretti, si avvia anche la trasformazione di piazza Navona, che diverrà uno splendido scenario barocco.

■ Roma, basilica di Santa Maria Maggiore. Domenico Fontana realizza all'interno della basilica la cappella del Presepe, trasportando un antico oratorio dentro la nuova cappella del SS. Sacramento costruita a pianta centrale. In onore del papa costruisce anche la cappella Sistina.

■ *Sisto V Peretti*,
silografia del XVII secolo,
Milano, Raccolta
Bertarelli. Favorito da
papa Pio V, non ebbe
fortuna con Gregorio
XIII per aver duramente
criticato la sua incapacità
a porre rimedio
ai disordini che
travagliavano Roma.
Nonostante i raggiri
dei potenti cardinali
Farnese, Medici e d'Este,
alla morte di Gregorio
XIII fu eletto papa.
Il suo pontificato durò
dal 1585 al 1590.

■ Seguendo lo stile
eclettico delle imprese
di Santa Maria Maggiore,
Fontana interviene a
San Giovanni in Laterano
con la Scala Santa,
la loggia delle
Benedizioni, e palazzo
Lateranense.

1592-1600

Gli ultimi giorni del manierismo

■ Federico Zuccari, *La flagellazione*, 1573 c., Roma, affreschi nell'oratorio del Gonfalone. Lo Zuccari giunge a sviluppare tutte le potenzialità dell'arte di Perin del Vaga, fino a esprimere quella "maniera" unitaria che si affermerà a fine secolo.

■ Nella decorazione dell'oratorio del Crocifisso, Roma, Cesare Nebbia segna un mutamento del clima culturale. Gli ideali della Controriforma si manifestano ora con un respiro naturale e un impulso "sentimentale".

La terza e ultima fase della Maniera si basa sui cicli decorativi dell'ultimo Michelangelo a opera di pittori come Agresti, Marco Pino, Sciolante, che avevano lavorato insieme a Perin del Vaga. La pittura ora pare unicamente finalizzata alla diffusione di specifici contenuti religiosi e sviluppa per questo un linguaggio irrigidito nelle strutture e nelle espressioni, anche attraverso cicli decorativi di rappresentazioni favolistiche e mitologiche. Si crea dunque una fraseologia che comporta l'uniformità figurativa, generalmente ritenuta "rassicurante", non solo dagli artisti, ma anche dai committenti, caratteristica del tardo manierismo romano. Influisce su questo linguaggio anche l'arte fiamminga la quale, incidendo per la prima volta su quella italiana, indirizza le estenuate grafie e le smaltature della Maniera verso nuove estrosità che vanno diffondendosi come linguaggio elitario e internazionale.

Con Raffaello o con Michelangelo?

A Roma le prime forme di manierismo, estremo sviluppo dell'arte rinascimentale, si erano già osservate in Michelangelo e nell'ultimo Raffaello. Le opere del primo erano frutto di una sofferta meditazione anticlassica. Raffaello, al contrario, sapeva creare la suprema armonia nella sintesi perfetta di forma e colori, sempre rispettoso della norma classica, anche nel raggiungimento della più alta espressività. Visioni opposte che i loro seguaci seppero fondere, dando vita alla lunga stagione della Maniera, chiudendo lo scontro tra classicismo e anticlassicismo.

■ Tra le maggiori testimonianze del manierismo a Roma sono gli affreschi di Cecchino Salviati in palazzo Sacchetti (1553-54): nella scelta di episodi biblici ed eroici, nelle eleganti e sofisticate composizioni risalta un particolare virtuosismo esecutivo.

■ Raffaellino da Reggio, affreschi nella chiesa dei Santi Quattro Coronati, Roma, 1578 c.
Con questo artista, uno dei più dotati della sua generazione, si esaurisce a Roma la Maniera, in attesa di un profondo, imminente mutamento.

31

Ragazzo morso dal ramarro

Tra i primi quadri "dipinti per vendere" presso monsignor Pandolfo Pucci, databile entro il 1595, è conservato presso la Fondazione Longhi a Firenze. L'opera è stata interpretata come allegoria dei sensi, delle stagioni o dei temperamenti.

■ Nel viso del giovane la trattazione di Caravaggio ha lasciato visibili il movimento e la sovrapposizione delle pennellate per raggiungere una magistrale mescolanza e una grande varietà di toni che sottolineano il bellissimo particolare del corrugamento della fronte.

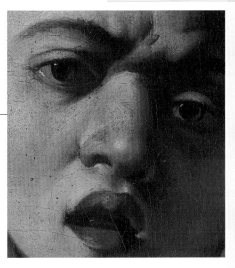

■ Il movimento della spalla scoperta e il fiore tra i capelli sembrano suggerire l'ambiente umano che Caravaggio frequenta. Il giovane effemminato ripropone il motivo, spesso sollevato dalla critica, della frequentazione del pittore con "giovani di piacere".

■ Disegno a carboncino e matita nera di Sofonisba Anguissola (Napoli, Musei e Gallerie di Capodimonte), in cui la pittrice, allieva di Bernardino Campi, rivela chiaramente un precedente iconografico di matrice lombarda.

■ Lo scatto della mano che si ritrae dal morso del ramarro, reso con un naturalissimo senso di immediatezza, ha suscitato svariate indagini simboliche, dall'allegoria della ferita d'amore, alla "moralità" del piacere che subito si trasforma in pena, fino a una sorta di ammonimento sulla giovinezza effimera e sulla morte che può arrivare all'improvviso.

Il "naturale"

"**D**ipinger di maniera e con l'esempio davanti del naturale è il sistema più perfetto di tutti, [...] così dipinsero Caravaggio [...] ed altri". Scriveva così Vincenzo Giustiniani, estimatore e committente di Caravaggio, nel 1625. Un segno di rinnovamento nella direzione del naturale viene dall'Accademia dei Carracci di Bologna tra il 1585 e il 1588. È l'ultima fase della Maniera. In un ambiente aperto a questioni d'arte, scienza e letteratura, si vuole rinnovare la pittura in senso "lombardo" (settentrionale) e "naturale", contro il trionfo dell'artificio e nel recupero della tradizione classica italiana. Si disegna dal vero per mettere a punto il disegno e il colore dei maestri del Cinquecento ed eliminare ogni convenzionalità, perché la naturalezza ridata all'arte è il miglior modo per agire sulla natura umana e sul sentimento. Vi è inoltre una ripresa del tema fiammingo della natura morta con figure, conosciuto in Italia attraverso i Campi. Caravaggio nelle prime opere romane opera una sintesi tra il retroterra lombardo e l'esperienza romana ma, diversamente dai Carracci, preferisce una stesura "alla prima", dipingendo direttamente.

■ Girolamo Sciolante, *Fregio d'angolo*, 1549-50, Palazzo Comunale di Monterotondo. Nell'ultima maniera romana è faticoso abbandonare le forme artificiose di questi putti per una pittura più vicina alla realtà.

■ Grande esempio di resa del naturale in questi frutti "posti a caso": particolare del *Bacchino malato* di Caravaggio (Roma, Galleria Borghese).

■ Raffigurante forse l'allegoria della *Vanitas* (accanto allo specchio, infatti, è raffigurato un teschio), l'incisione è in realtà un autoritratto allo specchio, probabilmente derivata da un'opera perduta di Caravaggio. Nella ricerca della rappresentazione del naturale, lo specchio era assai diffuso tra gli artisti dell'epoca.

■ Annibale Carracci, *Mangiafagioli*, 1584 c., Roma, Galleria Colonna. Famosa immagine colta dal vero di eccezionale immediatezza.

■ Paolo Porpora, *Fiori con coppa di cristallo*, 1650 c., Napoli, Musei e Gallerie di Capodimonte. Tipico esempio di natura morta prebarocca.

Grandi cantieri e arrivi di prestigio

■ Roma, *Santa Maria di Loreto al foro Traiano*. Racchiude la possanza manieristica nell'imponente ottagono di Jacopo del Duca.

Dopo la morte di Sisto V non si interrompe il grande fervore artistico che il pontefice aveva promosso. Roma va sempre più configurandosi come "communis patria" e polo di attrazione degli artisti, secondo un ruolo che le sarà proprio nel Seicento. Negli anni dell'ultimo decennio uno degli eventi artistici più impegnativi è senz'altro il vasto ciclo decorativo della navata di Santa Maria Maggiore, commissionato dal cardinale Domenico Pinelli e ultimato nel 1593 da artisti già attivi nell'équipe sistina. Nuova decisiva presenza, che fa scalpore con l'apertura di un ciclo in uno dei più prestigiosi palazzi, è quella di Annibale Carracci, chiamato a Roma da Odoardo Farnese. A partire dal 1595 il Carracci, con le decorazione del camerino prima, e della Galleria poi, pone le basi del rinnovamento pittorico, che riprende temi e linguaggio del classicismo. Altrettanto fondamentali per i successivi sviluppi della pittura a Roma sono tre tele tizianesche realizzate per il camerino di Alfonso d'Este. L'architetto Domenico Fontana abbandona, invece, definitivamente la città, esonerato dalle cariche ufficiali da Clemente VIII che a lui preferisce il Della Porta, alla morte del quale si può dire conclusa la stagione romana della grande architettura del Cinquecento.

■ Per volere di Paolo V
il blocco intorno alla
cupola della basilica
di San Pietro viene
trasformato in una
struttura longitudinale.

■ I dipinti eseguiti da
Tiziano per il camerino
di Alfonso d'Este
arrivano nella città
dei papi. Si tratta
dell'*Offerta a Venere*,
del *Baccanale* e di
Bacco e Arianna, che
avranno un'influenza
decisiva sulla pittura
della prima metà
del Seicento.

■ Giovan Battista Falda,
Chiesa di Santa Susanna,
incisione, 1665-90. I lavori
all'interno terminano nel
1585. È il primo esempio
di barocco a Roma.
Lo stesso Maderno
prima di intervenire con
importanti lavori nella
fabbrica di San Pietro,
lavora in maniera
molto più libera
a questo cantiere.

Committenti, collezionisti e letterati

■ Maffeo Barberini ritratto in un'incisione di Gaspar Grispolit, XVII, secolo, Milano, Raccolta Bertarelli. Il futuro papa Urbano VIII (1623-44) è raffigurato entro un ovale circondato dalle immagini allegoriche delle muse, indice del suo dichiarato amore per l'arte e per le lettere.

"Un ambiente particolarmente eletto di cultura e vita" è quello in cui si va inserendo il giovane Merisi. All'inizio la sua produzione è destinata a una ristretta cerchia di intellettuali. I riferimenti filosofici conducono da Giordano Bruno al neoplatonico Francesco Patrizi, docente alla Sapienza di Roma. In tale direzione vanno anche gli interessi del Borromeo, esponente del rinnovato sentimento religioso degli oratoriani, con una predilezione per la pittura nordica o mirante al naturale. Ma i neoplatonici devono fare i conti con le direttive del Concilio di Trento e in breve il gruppo si scioglie influenzando solo marginalmente il Merisi. In quegli anni Caravaggio dipinge "quadri per vendere" presso il cavalier d'Arpino, vicino agli "Accademici Insensati" di Perugia, cultori della poesia dell'epoca, il "concettismo", che cerca di cogliere nel lampo di un'immagine reale una moralità. Tra loro spicca il cavalier Marino, maestro della metafora. In questo ambiente vanno delineandosi anche gli orientamenti politici di Roma: filo-francesi da un lato, più aperti alle istanze della cultura moderna; filo-spagnoli dall'altra, più rigidamente controriformisti.

■ Nella poesia di Aurelio Orsi (*Carmina*, 16), fratello del pittore Prosperino delle Grottesche, si ritrova la sensibilità che il Caravaggio espresse in alcune delle sue prime opere, come *La Maddalena*, o il *Ragazzo morso dal ramarro*.

■ *Galileo Galilei*, acquaforte di Bettini, XVIII secolo. Scienziato filosofo, letterato, Galileo è apprezzato dai collezionisti romani, per i quali rappresenta il punto di riferimento della moderna conoscenza.
Le sue considerazioni sull'indagine della realtà naturale, al cui manifestarsi la mente umana deve adeguarsi, contribuiscono all'evoluzione del pensiero seicentesco sulla rappresentazione.

Il ritorno alla pittura di cavalletto

Nella Roma di fine Cinquecento, dove la pittura si esprime prevalentemente nei grandi cicli di affreschi a soggetti storici (profani e religiosi), si sviluppa la pittura di cavalletto, soprattutto nei circoli di letterati e amanti d'arte. Questa tecnica infatti si trova in perfetta sintonia con i nuovi gusti dei collezionisti, poiché viene praticata in bottega o all'Accademia, in uno spazio insomma che stimola il dibattito culturale. Il quadro da cavalletto inoltre è facilmente trasportabile, può essere venduto o donato. Tutto ciò favorisce la definizione dei generi di pittura, per i quali negli anni successivi si arriverà a una sorta di specializzazione da parte degli artisti.

■ Piefrancesco Mola, *Due conoscitori che ammirano un dipinto*, penna a inchiostro, New York, Pierpont Morgan Library.

"Ragazzi di vita", prostitute, zingari e suonatori

La scelta iconografica delle opere degli anni novanta vede una certa insistenza su soggetti fino allora poco consueti. Caravaggio si inserisce nello studio "al naturale" e propone nei dipinti di genere ambienti e persone vere, certamente osservate dal vero. Se dunque corrisponde a verità ciò che ricorda il Bellori, e cioè che "condottosi a Roma vi dimorò senza recapito e senza provvedimento" (1672) per un certo tempo prima di essere ospitato dal cavalier D'Arpino, è più che possibile che abbia davvero vissuto tra le persone che poco dopo riprodurrà. Per lui è naturale operare una scelta di soggetti e di ambienti modesti: in quel clima minore trova più facile arrivare al cuore delle cose. Dovendosi adattare a compiere piccoli lavori di bottega, accettando di realizzare anche copie, non dimentica però quelle immagini di quotidianità e di vita vera che conosce e che ben presto riprodurrà tra le prime opere di genere. I personaggi di tali scene sono ben lontani dai soggetti classici e non hanno nulla dei modelli della grande Maniera. Sono, invece, del tutto reali: come se recassero traccia della fatica della vita di ogni giorno, una fatica che il pittore evidentemente conosce bene.

■ Hans Ulrich Franck, *Osteria*, 1648 c., incisione. Le osterie ispirano il "dipingere al naturale".

■ Tra i primi caravaggeschi è Valentin de Boulogne che dipinge soggetti di genere come "bizzarrie di giuochi, suoni e zingarate". *Il baro* di Dresda (Gemäldegalerie, 1623 c.), proprio in virtù di questo tema, è stato a lungo considerato opera del Merisi.

■ Un gesto visto spesso per Roma: la zingara che legge la mano per dare la *Buona ventura*, (Roma, Musei Capitolini).

■ *La Maddalena*, 1594-96, Roma Galleria Borghese. Per la *Maddalena*, ancora un volto di popolana.

La presunta omosessualità di Caravaggio

Osservando la frequenza di figure maschìli effemminate e provocanti, la critica ha creduto di individuare una deviazione sessuale in Caravaggio. Uno dei dipinti rivelatori sarebbe il *Concerto di giovani* (New York, The Metropolitan Museum of Art). Quest'idea ha stuzzicato la fantasia degli interpreti legati alla prima riscoperta dell'artista in pieno clima romantico, rafforzandone l'immagine del "pittore maledetto". Questa interpretazione, però, deriva dall'incapacità di leggere le sue opere secondo i codici "iconologici" dell'epoca, che sono costantemente applicati dal pittore. Si preferisce cioè guardare al suo operato come all'attività di un genio impulsivo.

Ragazzo con cesto di frutta

Ora conservata alla Galleria Borghese di Roma, l'opera, collocabile intorno al 1593-94, apparteneva al cavalier d'Arpino. Presenta il tema a incastro tra giovinezza e natura, ma è stato interpretato come allegoria del Gusto.

■ Natura morta con frutti succulenti e foglie avvizzite: archetipo di una sontuosità non esente da segni di disfacimento. Può promuovere nel pittore la considerazione di significati più sottili e nascosti.

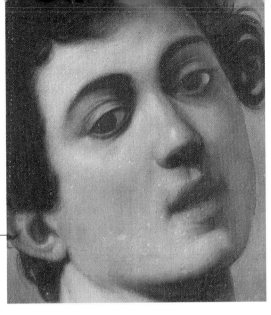

■ Il volto del giovane sembra richiamare quello del modello di altre opere di questo periodo, in particolare la figura posta al centro del *Concerto di giovani* (New York, The Metropolitan Museum of Art) e il *Ragazzo morso dal ramarro*. Si è anche supposto che si tratti di uno di quei "ritratti allo specchio" che Caravaggio realizzava proprio in quel periodo, ovvero di un autoritratto.

■ Ben diverso è un altro autoritratto del pittore, nel *Bacchino malato*, (particolare, 1591 c., Roma, Galleria Borghese). Un volto dall'incarnato pallido dato dai toni del verde e del bluastro che ritrae il soggetto in un momento di malattia oppure intende rispecchiare un determinato stato d'animo, il cosiddetto "furor lunare" (o furor poetico) grazie al quale gli artisti di temperamento malinconico riuscivano a creare le loro opere migliori.

■ Questa natura morta del *Bacco* (particolare, Firenze, Galleria degli Uffizi) di poco posteriore al *Ragazzo con cesto di frutta*. Il famoso cesto è quasi un esercizio di stile. Il grappolo d'uva che sporge e si adagia sul piano propone un nuovo rapporto tra lo spazio e la figura creando uno straordinario spaccato di realtà.

43

Alle origini della natura morta

Il superamento della posizione umanistica che si verifica in Italia nel Cinquecento porta a un vasto impiego di elementi naturalistici nella pittura sia sacra sia profana. Uno slancio maggiore e non casuale si osserva nei centri artistici o presso i pittori che per ragioni di estetica, per interessi commerciali, per contatti politici, hanno qualche legame con le Fiandre, dove gli artisti per quanto riguarda la resa del particolare in pittura avevano una notevole esperienza. In effetti quando Caravaggio si accinge a rendere la natura morta, elemento fondamentale delle sue opere (realizza in tutta la sua carriera una sola natura morta autonoma), questo genere è ancora considerato dagli accademici "inferior natura", di quasi esclusivo appannaggio dei fiamminghi o dei decoratori a fresco, compositori di trionfi e ghirlande, come Giovanni da Udine. Caravaggio comincia ad applicarsi in questo genere quando viene ospitato dal cavalier d'Arpino che desidera avere un apprendista in grado di competere con le opere di provenienza fiamminga, le quali cioè riproducano la realtà in modo analitico, quasi lenticolare e con sfondo moraleggiante.

■ Giovanni da Udine, *Festoni,* 1519 c., Roma, villa Farnesina. L'attività di pittori decoratori chiamati "grotteschi" è certamente, tra le tendenze dell'arte di fine Cinquecento a Roma, quella che attira di più Caravaggio, per l'attenzione alla rappresentazione del dato naturale.

■ Caravaggio, *Bacco,* particolare, 1598 c., Firenze, Galleria degli Uffizi. Splendido isolato elemento di natura morta, inserito in un quadro di figura che con Caravaggio diventa di colpo parte della grande pittura: idealmente molto vicino alle sue origini lombarde e all'amore del particolare di tipo nordico, l'artista ci offre un elemento di natura morta che è non più particolare secondario, ma chiave di lettura dell'opera.

■ Raffaello, *Santa Cecilia*, particolare, 1513 c., Bologna, Pinacoteca Nazionale. Episodi di natura morta, anche in funzione subordinata, alimentano il gusto per una visione in un certo senso astratta e non figurativa della natura. Ciò è evidente nel complesso degli strumenti musicali, che sta quasi a sé, come un quadro nel quadro.

■ Colantonio, *San Girolamo nello studio*, 1445-50, particolare, Napoli, Musei e Gallerie di Capodimonte. Il pittore opera un taglio netto nella composizione, separando dal resto gli attributi iconografici del santo che vengono presentati con un gusto per il particolare tutto nordico.

■ Baschenis, *Natura morta con strumenti musicali*, 1650 c., Bergamo, Accademia Carrara. La natura morta come genere a se stante si è ormai affermata: il bergamasco Baschenis propone spesso il soggetto degli strumenti musicali che consente di mettere a punto notevoli effetti ottici e prospettici.

Il cardinale Federico Borromeo

Figlio del conte Borromeo (zio di san Carlo) e Margherita Trivulzio, Federico dimostra inizialmente una particolare passione per le armi. Presto, però, questa passione giovanile diviene secondaria al suo interesse per gli studi, coltivati parallelamente alla vocazione sacerdotale: porta già l'abito quando frequenta l'università a Pavia. A ventidue anni, nel 1586 è a Roma, avviato alla carriera ecclesiastica come cameriere d'onore di Sisto V; qui riceve una formazione ascetica alla scuola di san Filippo Neri, potendo seguire contemporaneamente lo studio di varie discipline. L'anno successivo è nominato cardinale, ma entrerà nella sua diocesi a Milano solo nel 1595. Il periodo di attesa è dovuto a una sua particolare riluttanza all'alto ufficio pastorale: Federico preferirebbe sfuggire agli onori, poiché gli pare di essere chiamato a un incarico troppo alto, e soprattutto perché sente più forte l'interesse per gli studi e per la tranquilla vita di congregazione. Entrato a Milano, porta avanti le iniziative del cugino Carlo, anch'egli convinto della necessità di una riforma. In più la sua particolare esperienza di studioso lo porta a farsi protettore delle arti e della cultura: nasce da qui l'idea della Biblioteca Ambrosiana, aperta al pubblico nel 1609, e delle istituzioni del Collegio dei Dottori, della tipografia e dell'Accademia di pittura e di scultura.

■ *Federico Borromeo* (1564-1631), incisione. È il secondo successore di san Carlo nella diocesi di Milano e, come lui, riformatore della chiesa ambrosiana. Sentendosi più portato per una tranquilla vita di studi, dopo la nomina a cardinale di Milano tarda otto anni a entrare nella sua diocesi. Nonostante ciò ne diventerà presto, come il cugino e predecessore, l'appassionato riformatore.

■ Leonardo, *Ritratto di musico*, 1480, c. Milano, Pinacoteca Ambrosiana.
Tra le opere di grandi artisti raccolte per la formazione dalla pinacoteca, fondata nel 1618, quattro anni prima dell'istituzione di una annessa Accademia di pittura, scultura e architettura, figuravano tre opere di Leonardo, delle quali solo il *Musico* oggi è ritenuto di sua mano.

■ Tra i numerosi scritti del Borromeo di musica, filosofia morale, esegesi biblica, agiografia, liturgia, politica, geografia, vi è anche un testo sulla pittura sacra, dedicato a una delle istituzioni a lui più care, la Pinacoteca Ambrosiana.

FEDERICI
CARD. BORROMÆI
ARCHIEPISC. MEDIOLANI
D E
PICTURA SACRA

Scritti sull'arte sacra dopo il Concilio di Trento

Dopo il decreto sulle immagini sacre del Concilio di Trento, un nuovo commento viene da san Carlo durante il primo Concilio Provinciale (1565). Il cardinale vieta di dipingere leggende popolari che non siano approvate dalla Chiesa o da scrittori autorevoli, e prescrive ai vescovi di convocare gli artisti per istruirli sulle cose da evitarsi, dando attenti giudizi sulle immagini esistenti. In seguito (1570) il Molano pubblica un trattato, *De picturis et imaginibus sacris*, che sostiene la necessità di basare qualsiasi raffigurazione sulle scritture e sulle storie sacre solidamente provate. Del 1582 è l'intervento del cardinale bolognese Paleotti che, senza imporre regole né divieti, richiama la necessità di un'arte da amare in se stessa.

Canestro di frutta

È l'unica natura morta a se stante del Caravaggio. Datata intorno al 1597 e conservata alla Pinacoteca Ambrosiana di Milano, è incerto se venne acquistata dal cardinale Borromeo o se venne a questi donata dal cardinale Del Monte.

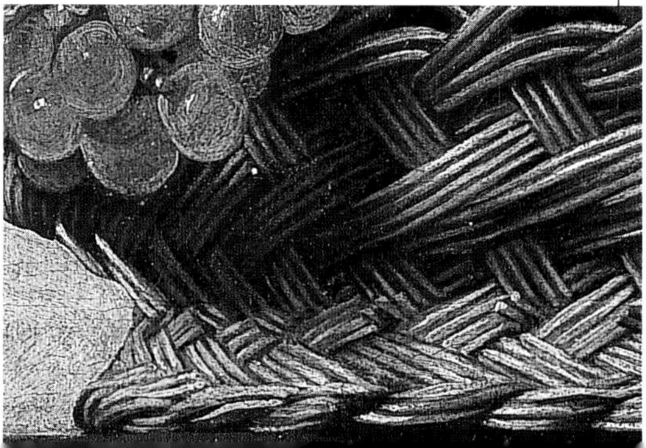

■ La straordinaria evidenza naturalistica emerge nella posizione in bilico della cesta che si presenta come una grande novità di sperimentazione dinamica.

■ Intorno a tre esili foglie accartocciate sembra che il fondo chiaro travalichi i contorni. L'impiego del chiaro tra le foglie è un espediente dell'artista per rendere l'effetto camolato e per raggiungere la sensazione quasi tattile degli orli sbriciolati. Nello stesso tempo, come un controluce, accentua l'effetto di profondità su un fondo chiaro.

■ Le foglie avvizzite inducono a leggere il soggetto come simbolo della corruttibilità della natura. Per alcuni, un'allusione alla Chiesa: nello stesso cesto i fedeli illuminati dalla Grazia e i peccatori.

1592-1600

Soggetti di successo, repliche, copie, varianti

Il modo di dipingere di Caravaggio, dal vero e col modello davanti, ha fatto negare per lungo tempo la possibilità di più versioni autografe di uno stesso soggetto. Eppure in presenza di casi di doppia versione del medesimo soggetto (*Ragazzo morso dal ramarro*, *La buona ventura*, *Suonatore di liuto*), e grazie alla testimonianza del biografo Mancini che ritiene il *Ragazzo morso dal ramarro* un "quadro fatto per vendere", l'ipotesi della copia autografa è stata successivamente riveduta. Caravaggio si sta facendo strada sulla via del successo e per "ragioni di promozione" replica le sue opere su richiesta della committenza. La replica, comunque, non è mai una copia identica: non cambiano soggetto e composizione, ma vi sono varianti nei particolari di fondo o nella natura morta. L'artista procede sempre senza disegno preparatorio, con il fare rapido e guizzante che non è proprio del copista. A partire da questi anni, inoltre, Caravaggio comincia a riprendere un soggetto interpretandolo in maniera diversa: la varie versioni mettono in evidenza ora questo ora quell'aspetto della composizione, le variazioni cromatiche e i momenti di studio della luce sui corpi.

■ Tra i soggetti più ripetuti da Caravaggio vi è il *San Giovanni Battista*. Quello di Kansas City (Nelson Gallery-Atkins Museum) è databile alla fine degli anni novanta per la ripresa a figura intera, la plasticità della posizione con la spalla girata e per l'uso un po' duro dei fasci di luce che colpiscono il soggetto.

■ Le due versioni del *Ragazzo morso dal ramarro* (Firenze, Fondazione Longhi, a destra; Londra, National Gallery, a sinistra) sono diverse soprattutto nell'uso della luce.

■ Il *Battista* spagnolo
(Toledo, cattedrale) non
è unanimemente
attribuito al Caravaggio
per ragioni di stile:
nonostante una stesura
unitaria, manca il vigore
caravaggesco tradotto
qui in un andamento
oltremodo flessuoso.

■ *Giovanni Battista*,
1598 c. Roma, Musei
Capitolini. Caravaggio,
nel momento della sua
prima maturità artistica,
riprende una postura
michelangiolesca (gli
Ignudi), volendo forse
riportare il modello
della Sistina a una
rappresentazione
di natura.

1592-1600

Annibale Carracci e la Galleria Farnese

■ *Annibale Carracci* ritratto in incisione per il testo di Carlo Cesare Malvasia *Vita de' pittori bolognesi* (1678).

■ Annibale Carracci, *Trionfo di Bacco e Arianna*. Nella parte centrale della volta a botte della Galleria Farnese, *Il Trionfo di Bacco e Arianna* denota la grande ricchezza inventiva.

Annibale Carracci, fondatore della Accademia di Pittura degli Incamminati, nel 1595 ha ormai raggiunto la piena maturità dei suoi mezzi espressivi e l'ambiente di Bologna non pare avere più nulla da offrirgli. Lascia così la sua città per andare a Roma, chiamato da Odoardo Farnese che gli ordina la decorazione ad affresco del suo camerino privato. L'ambiente romano offre ad Annibale la possibilità di trasformare la sua arte: da trepida poesia ad aulica idealità che si innesca felicemente sul dato di natura e giunge a presentare una bellezza conquistata attraverso l'elaborazione dell'antico, grazie anche alla conoscenza di Raffaello e Michelangelo. In due anni il camerino è completato e Annibale viene incaricato di eseguire quella che sarà la sua più grande impresa romana: la decorazione della Galleria di palazzo Farnese. Il ciclo pittorico doveva rappresentare nell'idea iniziale le gesta compiute da Alessandro Farnese, padre del cardinale Odoardo, morto nelle Fiandre nel 1592, ma in seguito la decorazione viene mutata in una serie di favole scelte dalla mitologia greca in cui poter cogliere il concetto neoplatonico della Venere celeste e della Venere terrena. Il Carracci si sente ormai lontano dal rigorismo tridentino di Bologna e mette liberamente a frutto la sua fantasia riscoprendo il mondo classico e studiando la rievocazione dell'antico sui grandi del Rinascimento.

■ Il palazzo Farnese, realizzato da Antonio da Sangallo per il cardinale Alessandro Farnese e terminato da Michelangelo (1546), è uno dei monumenti più importanti dell'architettura romana del Cinquecento che fonde motivi e forme del più puro classicismo con un senso della misura ancora quattrocentesco.

■ L'originale composizione del Carracci prevede una serie di nove dipinti entro cornici dorate. Mercurio, messaggero degli dei, scende sulla terra e consegna a Paride la mela della discordia.

■ Annibale Carracci, *Diana e Endimione.* Nel ritorno al classico il Carracci risente fortemente dell'influenza di Raffello del quale riprende i modi della *Venere e Adone,* dipinta per il cardinal Bibbiena e riprodotta dai suoi incisori Marcantonio Raimondi e Agostino Veneziano.

53

1592-1600

I primi grandi
soggetti religiosi

V erso la fine del secolo Caravaggio comincia a dipingere soggetti religiosi con una straordinaria innovazione: li tratta come pitture di genere inserite in un ambiente il più naturale possibile, per evocare il legame tra umano e divino. Uscito dalla fase giovanile, è ormai libero dai canoni appresi da ragazzo e sperimenta l'impiego di una luce nuova che crea contrasto e invade la rappresentazione. La destinazione di questi primi soggetti religiosi è ancora quella dei collezionisti privati, per servire i quali l'artista si allontana dalle iconografie ufficiali non certo con l'intento di trasgredire i dettami della Chiesa, ma alla ricerca di una più fedele adesione alla Bibbia e alle iconografie della pittura cristiana primitiva. È molto più vicino di quanto non sembri a prima vista a una scelta iconografica di fine secolo, non tanto di impostazione post-tridentina, bensì come segno di accostamento personale alla fede. Predilige fin dalle prime tele temi coinvolgenti come le estasi, le profonde meditazioni, le grandi conversioni o gli episodi della Bibbia che raccontano la presenza del Divino nella storia dell'uomo.

■ Caravaggio, *Sacrificio di Isacco*, 1595 c., Madrid, Confederación de Cajas de Ahorro. L'angelo si volge con umanità ad Abramo, accarezzando l'animale da sacrificare al posto di Isacco.

■ Caravaggio, *L'estasi di san Francesco*, Hartford, Wadsworth Atheneum. È questa forse la prima opera a carattere religioso di Caravaggio collocabile nei primi anni novanta. Il tema è decisamente post-tridentino: nella stigmatizzazione di san Francesco si legge il motivo dell'"imitatio Christi".

La religiosità di Caravaggio

Pare ormai che si possa escludere l'immagine di Caravaggio pittore miscredente. Dall'ambiente in cui cresce (una famiglia della piccola borghesia in cui vi erano uno zio e un fratello preti) e dall'aria che respira a Milano e presso i primi protettori di Roma, il Merisi matura una religiosità che lo lega alla Chiesa delle origini e che si distingue per povertà e per purezza di ideali. La vicinanza del cardinale Borromeo e degli oratoriani lo rende interprete autonomo della frangia pauperista, ala innovativa della Controriforma che auspica un ritorno della Chiesa alla purezza, alla sobrietà e alla povertà delle origini in contrasto con lo sfarzo rinascimentale.

■ Caravaggio, *San Francesco penitente*, Cremona, Pinacoteca Civica. Prevalentemente datata nell'estate 1606 per i colori bruni e la forte interiorizzazione del tema, l'opera si distingue per il particolare risalto dato al teschio e al libro tenuto aperto dalla croce.

■ Caravaggio, *Marta e Maddalena*, 1597 c., Detroit, Institute of Arts.

L'ANALISI DEI CAPOLAVORI

Giuditta e Oloferne

Dipinto reso noto per la prima volta nel 1951 in un'esposizione milanese, ora conservato a Roma alla Galleria Nazionale di Arte Antica. Non è probabilmente l'unica delle *Giuditte* di Caravaggio ed è databile alla fine del XVI secolo.

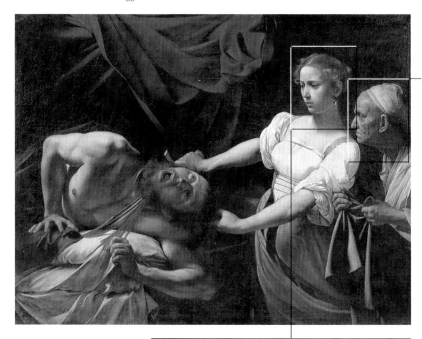

■ Il tema terribile di Giuditta che con fermezza taglia il capo a Oloferne è trattato dal pittore con grande misura, proprio nella ferma determinazione espressa dal volto della giovane, che nello stesso tempo lascia avvertire una smorfia, segno del dolore umano che ignora, o non comprende, il significato divino dell'evento.

■ Precedente iconografico, o meglio, ricordo lombardo per l'immagine quasi caricaturale della serva in alcune teste disegnate da Leonardo. In questa si coglie uno studio simile per le orecchie a sventola e la smorfia.

■ La vecchia serva dallo sguardo sbarrato, pronta a raccogliere la testa di Oloferne, è parte indispensabile nella narrazione del tema biblico, ma l'espressione di fredda attesa accentua la drammaticità della scena.

■ Il volto di Giuditta è ricorrente nelle opere di Caravaggio: la modella, Fillide Melandroni, è la stessa che posò per *Santa Caterina* (qui a fianco un particolare, Madrid, Collezione Thyssen), per *Fillide* (Berlino, già Kaiser Friedrich-Museum) e per la figura di Marta in *Marta e Maddalena* (Detroit, Institute of Arts).

■ Leonardo da Vinci, *Studi di caricature*, Milano, Biblioteca Ambrosiana. Ancora un disegno di Leonardo per studiare la piega della bocca di uno sdentato.

I capolavori
di un criminale

L'incarico di San Luigi dei Francesi

Alcune fortunate coincidenze portano a Caravaggio la prima importante commissione pubblica che giunge probabilmente per interessamento del cardinale Del Monte, membro della Fabbrica di San Pietro. Al papa e alla Fabbrica della cattedrale, infatti, erano state mosse ripetute petizioni da parte degli amministratori di San Luigi per la conclusione dei lavori della loro chiesa; dopo aver tentato inutilmente di rinnovare l'incarico al cavalier d'Arpino che ne aveva già affrescato la volta, nel 1598 si decide di cercare un nuovo pittore. Caravaggio è designato il 23 luglio del 1599 con un contratto che prevede un compenso di 400 scudi, dopo che, in maggio, la cappella era comunque stata aperta al culto a pareti spoglie. È chiaro che non si prevedono più decorazioni ad affresco (i ponteggi, infatti, impedirebbero di nuovo le funzioni), e ci si orienta necessariamente sui dipinti su tela, una novità quasi assoluta nelle cappelle romane dell'epoca. I due quadri richiesti al pittore (dedicati alla vocazione e al martirio di San Matteo) vengono consegnati con due mesi di ritardo rispetto all'accordo secondo il quale dovevano essere esposti entro l'anno, ma ciò non impedisce l'enorme successo delle tele da cui deriva, un anno e mezzo dopo, la prestigiosa commissione della pala d'altare a sostituzione della statua del Cobaert, rimasta incompleta.

■ La chiesa di San Luigi dei Francesi in una incisione di Giovanni Battista Falda (da *Il nuovo teatro e le fabriche ed edifici di Roma moderna*, 1665-90)

■ Caravaggio, *San Matteo e l'angelo*, 1602, Roma, San Luigi dei Francesi, cappella Contarelli. Il gesto dell'angelo che istruisce san Matteo è quello tipico della retorica medievale del maestro che insegna all'allievo. È la seconda volta che Caravaggio illustra questo soggetto ma, in questo caso, non vi sarà contestazione, perché la pala risponde alle esigenze della Chiesa e dei committenti.

■ La statua di *San Matteo e l'angelo* venne cominciata da Jacob Cobaert per l'altare della cappella Contarelli (ante 1593) e terminata nella figura dell'angelo da Pompeo Ferrucci, quando l'incarico della pala d'altare fu tolto al Cobaert preferendo una tela di Caravaggio.

■ Caravaggio, *San Matteo e l'angelo*, 1602, già a Berlino, Kaiser Friedrich-Museum. La prima versione fu rifiutata per la pretesa volgarità della posa. Comprata dal marchese Giustiniani, nel 1815 fu ceduta dai discendenti al museo berlinese, dove venne distrutta durante l'ultima guerra.

1600-1606

La cappella Contarelli, una storia controversa

L
a storia inizia nel 1565 quando Mathieu Cointrel acquista una cappella in San Luigi, chiesa dei Francesi di Roma, e ne progetta le decorazioni ispirate alla vita di san Matteo. Del lavoro viene incaricato Girolamo Muziano, pittore lombardo che, però, non comincerà mai. Alla morte del cardinale, vent'anni dopo, la chiesa ne riceve la maggior parte dell'eredità affinché si completino i lavori. Virgilio Crescenzi, esecutore testamentario, commissiona ufficialmente la pala d'altare allo scultore Cobaert, che aveva già iniziato a lavorarvi, probabilmente incaricato dal Contarelli stanco dell'inadempienza di Muziano. Poco dopo, la decorazione delle pareti è affidata al cavalier d'Arpino che entro i primi giorni di giugno 1593 completa la volta con la scena di *San Matteo che resuscita la figlia del re Etiope* tra coppie di profeti. Ma il d'Arpino è impegnato altrove e il Crescenzi ha convenienza a rallentare i lavori potendo, nel frattempo, godere degli interessi dell'eredità. I lavori si fermano fino al 1599, quando gli amministratori della chiesa fanno causa al Crescenzi, obbligandolo a terminare.

■ Matteo Contarelli, datario del papa Gregorio XIII e cardinale dal 1582, in una incisione del XIV secolo.

■ Girolamo Muziano, *Resurrezione di Lazzaro* 1555 c., Roma, Musei Vaticani. L'esecuzione di quest'opera portò al Muziano tanto successo che venne chiamato a lavorare al duomo di Orvieto. Egli mostra qui un deciso orientamento in senso veneto con attenzione al dato naturalistico e al fatto religioso.

Martirio o esecuzione?

Le indagini radiografiche hanno rivelato che il *Martirio* è una terza redazione totalmente trasformata rispetto alle prime due: da rappresentazione simbolica ancora di impianto rinascimentale, ad azione drammatica in senso barocco. I pentimenti dimostrano che la trasformazione è condotta per assaggi fino a giungere all'opera finale in cui le prime idee non vengono più riprese. La scena ha un carattere brutale che la rende un assassinio più che un martirio: manca il senso della sublimità e della speranza e forse risente della recente esecuzione di Giordano Bruno. L'assassino è un vendicatore che elimina un ribelle, il santo accoglie la palma del martirio, ma la allontana da sé, gli astanti si disperdono lasciandolo solo e il fatto sacro diventa uno scontro tra interessi opposti.

■ Caravaggio, *San Matteo e l'angelo*, 1600, Roma, San Luigi dei Francesi. La tela approvata raffigura l'evangelista ispirato dall'angelo mandato da Dio. Fu esposta nel 1602 nella cappella Contarelli.

1600-1606

Martirio di san Matteo

La drammatica scena del *Martirio di san Matteo* viene completata ed esposta nella cappella Contarelli nel 1600, decretando il primo grande successo pubblico di Caravaggio.

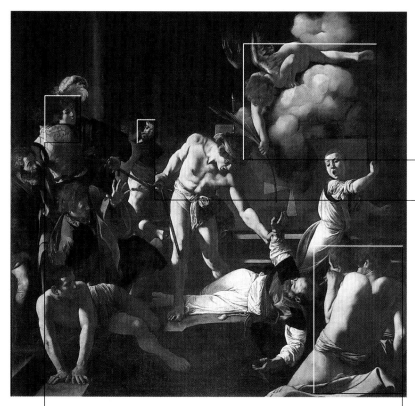

■ Il giovane con il cappello piumato, dall'ovale dolcissimo e l'aria "giorgionesca" (la carica enigmatica, la pensosità, il senso di poetico realismo fanno parte dell'atmosfera che si respira in casa Del Monte), rappresentato mentre si volta indietro, impugnando la spada, è forse l'amico Mario Minniti.

■ Nel promemoria che il Contarelli lascia per la decorazione della sua cappella non è specificata la presenza dell'angelo sulla nuvola che porge al martire la palma, simbolo del suo sacrificio: la sua presenza indica un elemento straordinario, una nota di eccezionalità nella prassi caravaggesca. Formalmente pare stravolta l'iconografia tradizionale delle nuvole che reggono l'angelo, mentre qui sembrano espellerlo.

■ Un giovane nudo di spalle posto in basso a fare da quinta è un evidente richiamo alla tradizione manierista, utilizzato in particolare dagli Zuccari: è come una di quelle "figure da affittare", secondo la definizione di Annibale Carracci, ossia da impiegare per riempire la composizione negli spazi vuoti.

■ Nella scena di storia, l'elemento più stupefacente è l'introduzione dell'autoritratto: l'artista (ritraendosi qui per la terza volta dopo il *Bacchino malato* e il *Concerto di giovani*), si rappresenta con barba corta ed espressione travagliata e triste, come spettatore turbato nella scena tremenda del martirio.

1600-1606

Vocazione di san Matteo

Seconda grande tela realizzata per le pareti della cappella Contarelli in San Luigi dei Francesi: il tema della chiamata del pubblicano Matteo a seguire Gesù è una delle più imitate dai seguaci di Caravaggio.

■ Ancora un modello legato al periodo giovanile: costume e aria "giorgioneschi" per l'amico Minniti. Tale carattere è da collegarsi alla moderna proposta che l'artista fa dell'uso del colore al quale dà un ruolo primario, secondo la tradizione veneta, nel contraffare il dato naturale.

■ Il gesto che forse il Merisi ha in mente quando realizza la figura di Gesù deriva da un notissimo archetipo del Rinascimento: il gesto di Dio che chiama alla vita Adamo come appare negli affreschi della *Creazione* di Michelangelo nella volta della cappella Sistina.

■ Gesù chiama Matteo con un gesto eloquentissimo: il suo braccio che spunta dietro la testa di Pietro (aggiunta solo in un secondo tempo) ci indica l'elezione, la scelta di quella persona individuata da lontano.

■ I gabellieri che contano le monete sono realizzati in modo così realistico che spesso si è giunti a leggere questa immagine come scena di gioco, anche a causa dell'errata interpretazione di Sandrart che ritiene Matteo sorpreso da Gesù mentre beve e gioca in una taverna.

■ Masaccio, *Storie di san Pietro*, particolare, 1425-27, Firenze, Santa Maria del Carmine, cappella Brancacci. Un altro esempio della gestualità rinascimentale, che Caravaggio mostra di conoscere bene e di saper riprendere.

67

IL CONTESTO STORICO E ARTISTICO

L'evoluzione del dipinto d'altare all'inizio del Seicento

Nel corso del Cinquecento si era definita la tipologia del dipinto d'altare in forma di pannello ligneo monumentale centinato, che raggruppava in uno spazio unitario personaggi sacri disposti secondo un ordine legato alla scena della sacra conversazione, cioè la Vergine col Bambino in trono, circondati da santi e, in alcuni casi, il donatore. Pale di questo tipo si erano diffuse nel Veneto e in Emilia Romagna, e proprio dal contributo di queste due regioni giunge la trasformazione a fine secolo: quando Ludovico Carracci realizza la *pala Bargellini* ha

ancora nella memoria l'innovazione della *pala Pesaro* di Tiziano e sposta tranquillamente sulla destra la figura della Vergine che tradizionalmente doveva occupare una posizione centrale. Se il primo segno di evoluzione riguarda la composizione, ben presto tocca al soggetto stesso: le sacre conversazioni infatti vanno scomparendo per lasciare posto a narrazioni particolari volute dalla Controriforma, che siano edificanti: come gli episodi di martìri, gli atti miracolosi, le estasi dei santi, e attingano a fonti bibliche e agiografiche, dove siano presenti possibilmente caratteri di accentuato patetismo.

■ Con la *pala Bargellini*, dipinta nel 1588, memore di Tiziano, Ludovico Carracci si orienta verso una nuova composizione: la Vergine col Bambino non è più al centro, ma spostata sulla destra, funge da intermediaria fra i santi inginocchiati e il cielo, simboleggiato dagli angioletti in volo.

■ Giovanni Battista Paggi, *Lapidazione di santo Stefano*, 1604, Genova, chiesa del Gesù. Una delle opere più riuscite dell'artista compiuta dopo vent'anni di esilio in Toscana. In quel momento a Genova si configura una nuova generazione di artisti locali.

■ Carlo Francesco Nuvolone, *Miracolo dello storpio*, 1659 c., Milano, basilica di San Vittore. Pur mantenendo elementi delle composizioni del secolo precedente, come l'architettura di sfondo o la manieristica figura dello storpio risanato, il soggetto è uno tra i prediletti dei pittori di inizio Seicento: l'evento di un miracolo descritto in toni di pacata colloquialità.

■ Sconvolgente la narrazione biblica di Guido Reni nella *Strage degli innocenti* (1611, Bologna, Pinacoteca Nazionale) che, pur nel cogliere un momento drammatico della realtà riesce a raggiungere un ideale di purezza formale.

Guai giudiziari, successi e rifiuti

L'esposizione delle tele per San Luigi dei Francesi dà a Caravaggio fama immediata e chiama su di lui l'attenzione di nuovi clienti e nuove importanti commissioni. L'artista ha dimostrato che è possibile cambiare l'antico concetto di decorazioni in una cappella: il tradizionale uso di affreschi può essere sostituito da grandi tele, mentre i personaggi possono essere rappresentati "in presa diretta", esaltando il significato religioso della tragedia per mezzo dell'impiego della luce. Dal successo della cappella Contarelli deriva direttamente la prestigiosa commissione di monsignor Cerasi che tuttavia recherà con sè guai, incomprensioni e critiche spietate. È chiaro ormai per Caravaggio che non ha vita semplice un'artista che persegue la pittura al naturale, soprattutto se ha da una parte committenti aperti alle novità e dall'altra il limite delle prescrizioni della Chiesa. Ma le difficoltà non derivano solo dal lavoro: la vita dell'artista si va complicando a causa del suo comportamento violento e scapestrato: risse e aggressioni in cui è coinvolto con amici e colleghi fanno comparire il suo nome in più atti giudiziari, dalla fine di agosto del 1603 con la querela del Baglione e nel successivo processo, conclusosi il 25 settembre con la scarcerazione del pittore "per intercessione e garanzia dell'ambasciatore di Francia".

■ Ritratto di Giovanni Baglione in una incisione di anonimo del XVII secolo. Tra i primi biografi del Caravaggio, è un suo rivale per motivi artistici; tuttavia, a parte qualche malignità, riesce a descrivere la vita del pittore in modo piuttosto obiettivo.

CAVALIER
GIOVANNI BAGLIONE
ROMANO
DELL'HABITO DI CHRISTO
PITTORE

■ Atti del processo intentato dal Baglione contro l'architetto Onorio Longhi e i pittori Caravaggio, Orazio Gentileschi e Filippo Trisegni per aver diffuso un libello con poesie scurrili e diffamatorie su di lui.

■ Caravaggio, *La morte della Vergine*, 1605-06, Parigi, Louvre. "Perché in persona della Madonna havea ritratto una cortigiana da lui amata" o "perché havea fatto con poco decora la Madonna gonfia e con gambe scoperte", l'opera, commissionata dai Carmelitani Scalzi per Santa Maria in Trastevere, è respinta e posta in vendita.

■ Caravaggio, *Madonna della serpe*, o *dei Palafrenieri*, 1605, Roma, Galleria Borghese. L'opera, dipinta per i Palafrenieri nella basilica di San Pietro, rimane meno di un mese sull'altare al quale è destinata: trasferita nella chiesa della Confraternita di Sant'Anna, viene in seguito rivenduta per cento scudi al cardinale Borghese.

Rubens a Roma

■ Pieter Paul Rubens, *Adorazione dei pastori* (o *La notte*), 1608, Fermo, chiesa di San Filippo Neri. Nella più riuscita opera italiana si percepisce un omaggio al Correggio e al cinquecento emiliano.

P er "studiare da vicino le opere dei maestri antichi e moderni e per perfezionarsi al loro esempio", Pieter Paul Rubens, ventitreenne, lascia Anversa per l'Italia. Dopo brevi soggiorni a Venezia e a Genova, giunge a Roma nell'estate del 1601 sotto la protezione del cardinale Montalto, al quale è stato raccomandato dal duca di Mantova. Roma è per Rubens l'occasione per studiare Raffaello e Michelangelo e poi Annibale Carracci, negli affreschi e nei tanti disegni: ciò che lo colpisce è il vigore disegnativo, soprattutto nello studio della figura umana e nella scelta di riprendere gli uomini nelle loro occupazioni quotidiane. È una fase molto importante per il fiammingo che, alla luce delle esperienze carraccesche, rivede l'immenso materiale antico e moderno che offre Roma e lo disegna e copia in continuazione, convertendolo in forma "barocca"; a ciò unisce il forte potenziale illusionistico del colore tizianesco, ammirato a Venezia, e il chiaroscuro di Caravaggio. La sintesi tra questi modi italiani si rivelerà con forza nelle grandi opere romane e genovesi. Per la composizione delle figure di Caravaggio, le cui opere deve conoscere già nel suo primo soggiorno romano, Rubens ha comunque una limitata ammirazione e non mostra interesse a conoscerne l'opera più a fondo, poiché il lombardo non considera affatto il disegno come fase creativa. Tuttavia, come altri artisti nordici, rimane affascinato dalla potenza caravaggesca nei dipinti religiosi tanto che sarà lui a comprare per il duca di Mantova il quadro della *Morte della Vergine* rifiutato dai committenti.

■ Durante il suo primo viaggio in Italia, Rubens è a Roma tra l'estate 1601 e la primavera 1602. Di nuovo nella capitale nel 1605, ottiene il permesso di fissarvi la sua residenza per un lungo periodo.

Il mito di Roma per i pittori stranieri

Fin dal XV secolo viaggiare all'estero è segno distintivo dell'artista all'avanguardia. Agli inizi del Seicento l'Italia è ancora il paese da cui escono le idee più avanzate e mantiene un ruolo di preminenza rispetto al resto d'Europa. Il viaggio a Roma, per le vestigia dell'antico e i movimenti artistici e culturali italiani, ha un ruolo fondamentale per la formazione di molti stranieri, alcuni dei quali fanno poi della città la propria patria di elezione. A Roma, capitale della cristianità, fino al 1650 si elaborano scelte decisive per l'arte europea.

■ Pieter Paul Rubens, *Madonna della Vallicella adorata dagli angeli*, 1608, Roma, chiesa di Santa Maria in Vallicella. Per la seconda versione della pala Rubens preferisce dipingere su lavagna, lavorando direttamente nella chiesa al fine di evitare le difficoltà eventualmente sorte a causa dei riflessi.

■ Pieter Paul Rubens, *Santi Gregorio, Domitilla, Mauro, Papiano, Nereo e Achilleo*, 1606, Berlino, Staatliche Museen. Rubens esegue un bozzetto in misure molto superiori a quelle di un normale modello per mostrare ai padri oratoriani le sue capacità.

Il ciclo della cappella Cerasi

Caravaggio consegna le due tele con *Il martirio di san Pietro* e *La caduta di san Paolo* con cinque mesi di ritardo. Gli eredi del committente, i confratelli dell'ospedale della Consolazione, pagano all'artista 100 scudi in meno rispetto al pattuito. Inizialmente le opere dovevano essere in legno di cipresso, ora, invece, sono su tela e mostrano due nuove versioni, poiché, come testimoniano il Baglione e il Mancini, le prime sono state rifiutate. Non è chiaro se i cambiamenti siano stati voluti dal committente prima della morte, o dai suoi eredi, oppure dallo stesso Caravaggio, magari per adeguare i dipinti a uno stile "bolognese", come quello dell'opera di Annibale Carracci da poco installata nella stessa cappella. Nel contratto è scritto che dipinga "ex sua inventione et ingenio", ma si esige che mostri prima dei 'modelli' dei quali in verità non resta alcuna traccia. L'artista ha tenuto conto dell'architettura dell'ambiente e la struttura scorciata è concepiti per la visuale d'angolo di un osservatore in moto entro uno spazio ristretto.

■ Contratto della cappella Cerasi stipulato il 24 settembre 1600 tra monsignor Tiberio, tesoriere generale di Papa Clemente VII, e Caravaggio per due dipinti nella cappella di Santa Maria del Popolo.

■ Michelangelo, *Crocifissione di san Pietro*, 1545 c., Roma, cappella Paolina. Ispirò certo Caravaggio.

■ Roma, Santa Maria del Popolo. Cerasi compra la cappella a sinistra dell'altare maggiore per farne la tomba di famiglia; per l'altare ordina anche una tela con l'*Assunta* al Carracci.

■ Caravaggio, *Crocifissione di Pietro*, 1601, Roma, chiesa di Santa Maria del Popolo. Pur seguendo l'iconografia tradizionale, la scena è interpretata da Caravaggio con estremo realismo nella fatica di alzare il palo della croce con una fune, o di fare leva con il corpo. Egli contrae l'evento alle figure essenziali del martire e dei manigoldi, realizzate in grande formato per dare più evidenza al fatto.

■ Guido Reni, *Incontro tra i santi Pietro e Paolo*, Milano, Pinacoteca di Brera. L'opera rivela uno studio su Caravaggio.

Caduta di san Paolo

Il dipinto, conservato nella cappella Cerasi della chiesa di Santa Maria del Popolo, sostituì la prima versione con una completa trasformazione dell'opera. Per questo cambiamento la consegna è ritardata di cinque mesi.

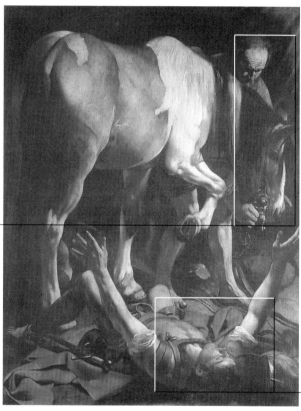

■ Fa da sfondo al momento della conversione una scena di carattere quotidiano: un anziano palafreniere che calma il cavallo spaventato. Il contesto profano aumenta l'eccezionalità dell'evento sacro, ma è possibile spingersi oltre: Il palafreniere può essere simbolo della ragione, l'animale, simbolo del peccato: due figure dunque tutt'altro che secondarie che non compaiono negli Atti degli Apostoli, ma contruibuirebbero a illustrare la Grazia nel contrasto tra luce della salvezza e tenebra del peccato.

■ Albrecht Dürer, *Il grande cavallo*, incisione, 1505. È un precedente iconografico per Caravaggio che però nella sua tela conferisce all'animale un ruolo figurativo eccezionale, destinandogli metà dello spazio complessivo.

■ La versione rifiutata, ora presso la collezione Odescalchi, prevedeva la conversione di Paolo di Tarso, persecutore dei cristiani, sulla via di Damasco, in seguito all'apparizione di Gesù, che lo folgora con una luce accecante. Causa del rifiuto fu forse la fisicità dell'apparizione, che nega la separazione tra umano e divino.

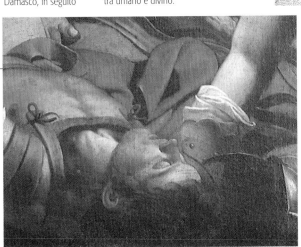

■ La grande luce acceca l'ebreo Saulo, ma l'immagine di Cristo che gli si rivela non è rappresentata. Saulo, colui che non sa e non può vedere, è forse ispirato alla filosofia del contemporaneo Giordano Bruno per il quale, appunto, l'uomo non ha alcuna possibilità di vedere Dio. I valori pittorici esaltano qui la "tecnica dell'emergenza", grazie alla quale la luce fa "emergere" dal fondo buio gli oggetti che colpisce.

Un viaggio a Genova

Dopo una rissa in cui ferisce il notaio Pasqualone, Caravaggio cerca scampo a Genova, dove la sua presenza è documentata dal 6 agosto 1605. La sua è una fuga che dura all'incirca un mese: ottenuto il perdono giudiziario da parte del notaio potrà rientrare a Roma. Alla città di Genova è indirizzato dalle stesse persone che in seguito lo ospiteranno a Palermo: Ascanio Sforza e Filippo Colonna, quest'ultimo nipote di Ascanio e della marchesa di Caravaggio. Nella città ligure si rivolge a lui il principe Marcantonio Doria, che lo ospita e cerca di affidargli le decorazioni ad affresco della loggia del suo casino a Sampierdarena per un compenso di 6000 scudi. L'artista rifiuta forse perché davvero sa di essere solo di passaggio, o forse perché non si vuole impegnare nella tecnica dell'affresco che non ama (il Del Monte per questo lo definirà "cervello stravagantissimo"). Per il principe Doria ci sarà più avanti una seconda possibilità: il pittore realizzerà per lui una tela con il *Martirio di sant'Orsola* (1610). Il passaggio del Merisi in Liguria è così fugace che non ha il potere di sconvolgere lo sviluppo dell'arte genovese, anche se gli artisti che hanno la possibilità di conoscerlo sapranno trarre beneficio dalla sua personalità e da quella dei suoi seguaci, i quali successivamente e per periodi piuttosto lunghi si recheranno nel capoluogo ligure dove è più diffusa la passione per gli artisti nordici.

■ Bronzino, *Ritratto di Andrea Doria*, particolare, 1531, Milano, Pinacoteca di Brera. Ritratto nelle sembianze della divinità marina, Andrea Doria, è un mecenate attento alle arti. Nel 1528 affida a Perin del Vaga le decorazione della sua villa a Fassolo e dà il via al collezionismo d'arte, espressione di potenza e ricchezza.

■ Con le costituzioni del 1528 e del 1576 si dà assetto definitivo alla Stato Genovese. Tutte le cariche pubbliche spettano ai nobili che fanno a gara a decorare i palazzi e le chiese cittadine, ispirandosi allo stile della maniera. Genova, ancora racchiusa nel perimetro trecentesco, cambia rapidamente aspetto.

■ Caravaggio, *Ecce Homo*, 1604-06, Genova, Galleria di Palazzo Bianco. Monsignor Massimi aveva ordinato lo stesso soggetto a tre pittori diversi (oltre a Caravaggio, il Cigoli e il Passignano). Non vi è gerarchia tra buono e cattivo e mancano segni di violenza sulla figura di Cristo per favorire la concentrazione sul patimento interiore.

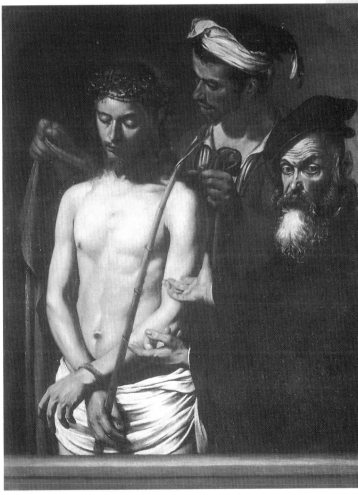

■ Luca Cambiaso, *Natività*, particolare, post 1550, Milano, Pinacoteca di Brera. Pittore del tardocinquecento in Liguria, è ancora legato a posizioni di severa monumentalità e arido pragmatismo, ma a tratti, come qui, ha intuizioni che verranno sviluppate dai pittori della generazione successiva.

IL CONTESTO STORICO E ARTISTICO

Il dibattito sul decoro

A conclusione del Concilio Tridentino, uno degli argomenti più discussi a proposito dell'arte sacra è la questione del decoro. In effetti, al di là dei vari commenti e trattati che vengono pubblicati in questo momento, ciò che si coglie chiaramente dalla discussione del 3 e 4 dicembre 1563, nella XXV sessione del Concilio, è appunto la necessità di dipingere secondo il decoro e la "dignitas". In pratica al pittore viene richiesto principalmente di non turbare gli animi dei riguardanti, del popolo semplice dei fedeli, con immagini che siano poco decorose, ma di elevarlo alla grandezza della Chiesa trionfante, una grandezza che trascende l'umano, che consola delle tristi miserie terrene. Tendenzialmente la Chiesa, almeno in un primo momento, mantiene una posizione molto rigorosa a questo riguardo; in seguito tuttavia, particolari ordini religiosi, quali quelli dei Filippini o degli Oratoriani, o alcuni prelati come Federico Borromeo, elaborano in modo autonomo i concetti espressi dal Concilio, imponendo all'arte ancora nuove modifiche di indirizzo.

■ Piedi sporchi posti ben in vista nella *Crocifissione di san Pietro*: non un oltraggio al decoro ma, secondo le indicazioni del Borromeo nel *De pictura sacra*, un segno di obbedienza, oppure, secondo il Nuovo Testamento, di bisogno di purificazione.

■ Anche a Roma, meno rigorosa di Milano, si corre ai ripari per le opere giudicate poco decorose: così Pietro da Cortona copre i nudi della cappella Sistina di Michelangelo.

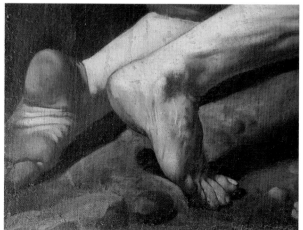

Giovanni Battista Crespi, *Pala della Madonna del Rosario*, 1618 c., Milano, Pinacoteca di Brera. Le gerarchie celesti sono rispettate nei dettagli.

Carlo Buzzi, *San Carlo istituisce le Scuole di Dottrina Cristiana*, 1604, Milano, duomo. Per affermare l'ortodossia, Carlo Borromeo crea scuole che istruiscano alla fede.

I piedi scalzi di san Giuseppe (particolare del *Riposo durante la fuga in Egitto* di Caravaggio, Roma, Galleria Doria Pamphilj) sono segno della sua umiltà e semplicità.

Gesù che aiuta la Madre a schiacciare la serpe: un bambino qualsiasi, del tutto umanizzato, nella più realistica nudità. Anche per questo l'opera di Caravaggio fu ritirata dall'altare sin San Pietro.

Madonna dei Pellegrini

Chiamata anche *Madonna di Loreto*, fu dipinta per la cappella Cavalletti nella chiesa di Sant'Agostino a Roma tra il 1604 e il 1606. La scena, innovativa nella scelta iconografica, mostra l'omaggio di due anziani giunti a piedi al santuario.

■ Il sapiente uso della luce conferisce al blocco statuario delle figure sacre della Vergine e del Bambino una vitalità carnale. La pelle levigata e i panni serici creano un contrasto con le figure dei pellegrini, dalla pelle rugosa e gli abiti sdruciti. Unica è la chiave cromatica uniformata dalla luce.

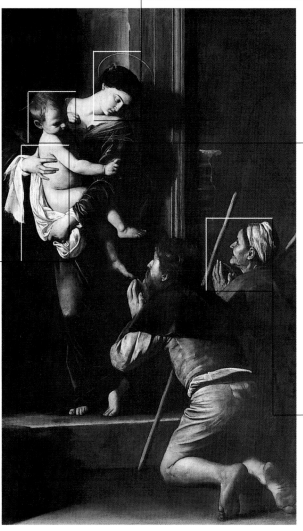

■ L'immagine della Madonna conserva tutta la sua nobiltà ideale nella resa liscia e delicata del viso. La Vergine è più che mai un intermediario tra il credente e la santa Madre Chiesa. La modella è Lena, le cui frequenti sedute presso il pittore scatenano le gelosie del notaio Pasqualone, responsabile della (successiva) fuga del pittore a Genova.

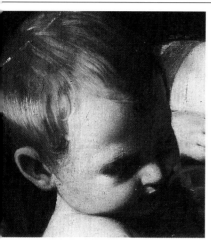

■ L'espressione del Bambino in braccio alla Madre che osserva dall'alto tra il diffidente e l'incuriosito, le due persone inginocchiate (Caravaggio pone le figure della Madonna e di Gesù sopra un gradino, come in una nicchia) è fortemente realistica e di immediata comprensione.

■ Vivissimo particolare di grande umanità è la vecchia pellegrina, figura nota al pittore sia per i pellegrinaggi romani durante l'anno santo, sia per quelli visti a Caravaggio. La cuffia sdrucita e sudicia della donna gli provocherà da parte del Baglione un'ennesima accusa di mancanza di decoro.

83

L'evoluzione del collezionismo

T ra Cinquecento e Seicento, mutate le esigenze e le motivazioni del collezionismo, lo studiolo di cultura umanistica va scomparendo e nasce la galleria, a esso complementare e contrapposta. Lo studiolo, elitario, collocato in un piccolo spazio funzionale esaltava valori di introspezione, di meditazione intellettuale ed estetica, tipici della cultura quattrocentesca. La galleria ne è la prosecuzione e il più ampio svolgimento e tende a un più coinvolgente contatto col pubblico: per il committente ha funzione celebrativa e, nel contempo, conservativa ed espositiva, delle glorie artistiche e delle imprese della casata. La tipologia e la funzione della galleria si diffondono rapidamente in tutta la penisola, ma è a Roma che acquista il suo assetto più scenografico e commemorativo, trovandosi a essere già alla fine del Cinquecento elemento fondamentale sia delle dimore principesche sia delle abitazioni nobiliari e, successivamente, affermando e sintetizzando la cultura e la poetica barocca. L'evoluzione del collezionismo e del gusto pongono le basi dello sviluppo della storiografia dell'arte e dell'invenzione di tecniche grafiche diverse. Nel Seicento si procede verso una critica di tipo interpretativo e storico: il conoscitore d'arte acquista una connotazione nuova, mentre si modificano le figure tradizionali del committente e dell'artista. Quest'ultimo soprattutto giunge finalmente a slegarsi completamente da ogni vincolo di sudditanza dalle arti meccaniche e conquista un maggiore riconoscimento sociale.

■ Gaspar Dughet, *Paesaggio con Rinaldo e Armida*, Roma, Galleria Corsini. L'evoluzione del collezionismo va di pari passo con la definizione dei "generi" che hanno particolare fortuna tra Cinquecento e Seicento. Tra questi il 'paesaggio arcadico', commistione di elementi naturalisti e classici è uno dei più amati.

■ Annibale Carracci, *Fuga in Egitto,* 1604, Roma, Galleria Borghese. Già alla fine del secolo questa lunetta è considerata paesaggio a tutti gli effetti, più adatta alle sale di palazzo che a una cappella privata.

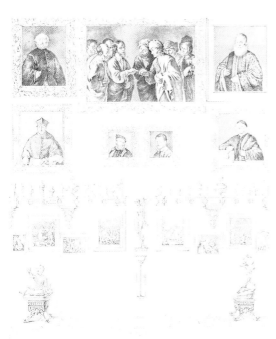

■ Giuseppe Magni, *Veduta di una parete della Tribuna*, seconda metà XVII secolo, Firenze, Galleria degli Uffizi. La collezione di opere d'arte antiche e moderne esposta in galleria mostra la grandezza del committente.

■ Claude Lorrain, *Mercurio e Argo*, 1645, particolare, Roma, Galleria Doria Pamphilj. Artista apprezzato dai collezionisti del tempo, fonde elementi nordici alla pittura bolognese.

■ Il Domenichino, *Paesaggio con fuga in Egitto*, 1621-23, Parigi, Musée du Louvre. Tra gli esiti più alti di questo bolognese sono proprio i paesaggi innaturali di ideale bellezza classica.

■ Aniello Falcone, *Battaglia di cavalieri spagnoli*, post 1635, Napoli, collezione Catello. Nella pittura di genere richiesta dai collezionisti ampio spazio è dato anche alla scena storica di battaglia. Il pittore Aniello Falcone è uno specialista in questo genere che risolve con sapiente incisività luministica. Nelle sue opere l'episodio storico perde il significato di cronaca.

Lo studio degli stati d'animo

Il costante impegno di Caravaggio a rendere la realtà coincide con la necessità di giungere all'anima delle cose, nel dipingerle dal vero senza preferire quelle perfette, ma scegliendo le più comuni e quindi le più vere. Ma più ancora di quella delle cose, è l'anima dell'uomo che cerca di esprimere Caravaggio, giungendo a un'indagine che non è fuori luogo chiamare psicologica. Anche per tale tendenza, molto profonda e conseguente all'indagine sul naturale, Caravaggio è debitore alla sua formazione lombarda. Gli interessi per la pittura "della realtà", che si erano chiaramente sviluppati nella Lombardia del Cinquecento, sono assunti radicalmente dal pittore, il quale si porta nella memoria le opere di chi, prima di lui, aveva voluto penetrare nell'animo dei personaggi. Studia, quindi, come già aveva fatto Leonardo, i moti dal vivo e le reazioni nella loro istantaneità, al fine di cogliere le diversità e le abnormità fisiognomiche con un interesse che è molto diverso dalle capziosità del manierismo. Questo è l'elemento principale delle scene e dei volti dipinti dal Merisi, elemento che solo in un secondo tempo si accorda con un loro eventuale significato allegorico e simbolico, frutto della frequentazione da parte del pittore di ambienti culturali alquanto raffinati.

■ Leonardo da Vinci, *Ultima cena*, particolare, 1495-98, Milano, refettorio di Santa Maria delle Grazie. Secondo ciò che scrive il Vasari, Leonardo è il primo che si preoccupa di esprimere i sentimenti dei suoi personaggi.

■ Il sincero pianto di una popolana, particolare della *Morte della Vergine* di Caravaggio (1605-06, Parigi, Musée du Louvre), esprime uno dei più genuini momenti di indagine sulle reazioni della natura umana.

■ Acuta l'espressione della zingara della *Buona ventura*, (particolare, 1594-95 c., Roma, Pinacoteca Capitolina), un lieve sorriso a un tempo rassicurante e indagatore per accattivarsi la fiducia del malcapitato e aggirarlo in piena tranquillità.

■ Caravaggio, *I bari*, 1594-95 c. Hartford, Wadsworth Atheneum. Tre personaggi, tre espressioni: il giovane ingannato, tranquillo nella scelta della carta da giocare; il giocatore più esperto che suggerisce la mossa al giovane complice, più timoroso.

San Gerolamo

Il *San Gerolamo* della Galleria Borghese risale all'estremo periodo romano. L'iconografia sembra richiamare il momento spirituale dell'artista e al tempo stesso l'importanza del Santo per la Controriforma.

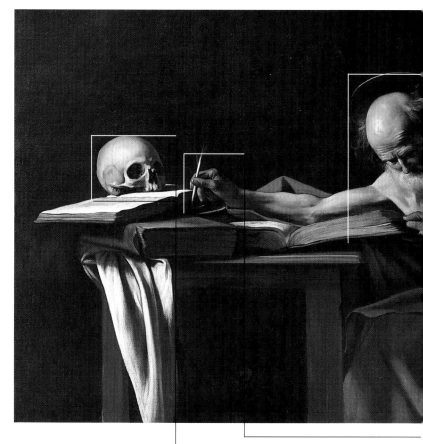

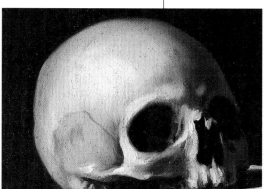

■ Il teschio, tradizionale attributo iconografico di san Gerolamo, legato al significato di "memento mori", poggia su una pila di libri sistemati su assi differenti, nell'intento di creare un altro elemento di profondità spaziale.

■ Il capo acquista risalto grazie alla lumeggiatura sulla testa calva. Geniale è l'espediente dell'aureola (poco frequente nelle immagini sacre del Merisi) che funge da proposta di profondità spaziale su fondo distinto. Il santo nello studio non è più l'intellettuale umanista, ma un uomo, ispirato da Dio, che traduce la Bibbia.

■ La mano del santo va a intingere la penna in un calamaio lontano e, con l'allungarsi del braccio in maniera abnorme, collega la natura morta del teschio e dei libri con la natura viva del santo e li pone sullo stesso piano.

89

I nuovi ordini religiosi

■ Carlo Dolci, *San Filippo Neri,* 1645, Firenze, Galleria degli Uffizi. Anche Filippo Neri (1515-1622) scrive una regola basata sull'umiltà, la disciplina, lo studio e, soprattutto, una serena allegria.

Nel secondo Cinquecento, per iniziativa di poche personalità grandiose, erano nati nuovi ordini religiosi e congregazioni, che si erano diffusi con rapidità. Prima di tutti l'ordine della Compagnia di Gesù, approvato nel 1540, ancora prima della convocazione del Concilio di Trento, reazione alla riforma luterana. Il fondatore, Ignazio di Loyola, è spagnolo: il momento di una revisione del pensiero e dell'agire religioso per il recupero della fede procede da una terra dove tradizionalmente si lotta per tenere unita la Chiesa contro l'infedele. Ignazio si orienta verso una regola militante e scrive gli esercizi spirituali in cui la pratica ascetica non è fine a se stessa, ma mezzo per fortificare il carattere. Teologicamente mantiene posizioni conservatrici e rigorismo formale che si accorderanno completamente con lo spirito della Controriforma, anzi in gran parte contribuiranno a formarlo. Dopo il Concilio di Trento è sempre più viva la necessità di fondare nuovi gruppi religiosi che possano dare certezze ai fedeli disorientati. Nascono anche ordini attivi nelle opere di carità: Filippo Neri fonda nel 1575 la congregazione dell'Oratorio seguendo il tracciato dei precedenti gruppi ecclesiastici dei chierici regolari (theatini, somaschi, barnabiti), ma è particolarmente vicino ai gesuiti nell'occuparsi dell'educazione dei ragazzi con la promozione della cultura.

■ *Incontro del Beato Filippo Neri con il Beato Ignazio di Loyola,* bulino di Pieter Paul Rubens e Jean-Baptiste Barbé, Roma, collezione privata. San Filippo Neri ha la precognizione della santità di Ignazio.

■ Stefano Della Bella, *Processione del Santissimo Sacramento,* acquaforte, prima metà XVII secolo. La Chiesa torna a esaltare le processioni.

■ *Altare di Sant'Ignazio*,
Roma, chiesa del Gesù.
L'altare dove è sepolto
sant'Ignazio di Loyola
fu progettato da Andrea
Pozzo e richiese materiali
di pregio e l'opera
di un centinaio di artisti.

■ Il Duchino, *San Carlo
fonda i monasteri delle
Cappuccine e le
compagnie delle Vergini
di sant'Orsola e delle
Vergini di sant'Anna*,
1603, Milano, duomo.
Carlo Borromeo tiene
molto ai nuovi ordini.

■ Baciccia, *Trionfo del
nome di Gesù*, 1679,
Roma, volta della chiesa
del Gesù. Con colore e
chiaroscuri si ottiene
l'effetto di sfondamento
della volta e l'"espulsione"
delle figure verso il cielo.

L'ANALISI DEI CAPOLAVORI

Deposizione nel sepolcro

La *Deposizione*, ora ai Musei Vaticani, fu realizzata tra il 1602 (nel gennaio è in rifacimento l'altare cui la pala è destinata) e il 1604, per la seconda cappella di destra della Chiesa Nuova affidata agli oratoriani di Filippo Neri.

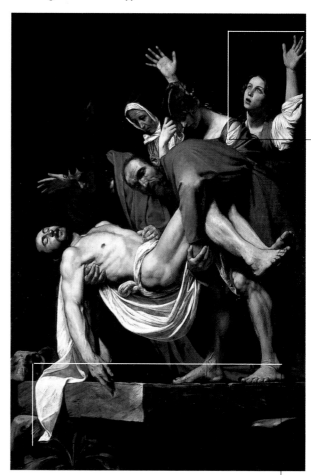

■ Di eccezionale riuscita il particolare della pietra tombale: un lastrone molto sporgente, sghembo rispetto al piano, pare il piedistallo di un complesso gruppo scultoreo e avvicina lo spettatore ancora di più all'immagine.

■ Il particolarissimo gesto, con le braccia alzate, di Maria di Cleofa che chiude il corteo funebre, in una struttura poligeometrica, ne esprime il dolore, come in un grido senza voce.

■ Ancora un rapido gesto di braccia spalancate, di qualche anno precedente, nel discepolo della prima versione della *Cena in Emmaus* di Caravaggio (particolare, 1596, Londra, National Gallery), che crea uno straordinario effetto di profondità.

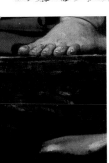

■ In una fonte antica, rinascimentale, appare lo stesso gesto a braccia alzate, qui di Maria Maddalena, a esprimere lo stesso dolore (bulino di Mantegna o della sua scuola, XV secolo).

■ Caravaggio, *Cena in Emmaus*, particolare, 1596, c., Londra, National Gallery. L'elemento che sembra uscire dallo spazio riservato alla scena coinvolge di più il riguardante.

I primi "caravaggeschi"

N on passa molto tempo dalle prime opere pubbliche che il Merisi, attraverso le sue innovazioni straordinarie, fa scuola. La schiera dei "caravaggeschi" si forma rapidamente, a cominciare dagli ambienti frequentati dal pittore: tra i primi Baglione e Gentileschi, pittori più anziani di lui. Il primo mostra una 'parentesi caravaggesca' durante i lavori in Santa Cecilia, che gli procurano una certa fortuna: gli verrà assegnato infatti l'incarico di realizzare una pala d'altare con la Resurrezione di Cristo per la navata laterale della chiesa del Gesù. Del Caravaggio riesce a riproporre in particolare lo studio della luce con un chiaroscuro ricco di contrasti. Gentileschi invece, coetaneo di Baglione, è più indipendente, la sua assunzione di mezzi stilistici e di forme caravaggesche avviene gradatamente tanto che nelle opere della metà del primo decennio del secolo sono ancora presenti elementi del tardomanierismo, di cui si libererà solo dopo la fuga di Caravaggio da Roma. L'ondata di imitazione non investe solo l'ambiente artistico romano, che è il primo a risentirne, e quei centri che hanno visto attivo il pittore: la volontà di sperimentare le grandi novità di luminismo, di forme e soggetti giungerà anche ad altri ambienti artistici in Italia e non lascerà indifferenti neanche diversi artisti stranieri.

■ Giulio Cesare Procaccini, Cerano, Morazzone, *Martirio di santa Seconda e santa Rufina*, 1615-20 c. Milano, Pinacoteca di Brera. In questo dipinto a tre mani, un tema di martirio assolutamente post-tridentino, la cui composizione sembra richiamare quella del *Martirio di san Matteo*, (1600, Roma, San Luigi dei Francesi), pur mancando della tragicità di Caravaggio.

■ Bartolomeo Manfredi, *Castigo di Cupido* 1610-20 c., Chicago, Art Institute. Quando ormai le richieste di commissioni ai caravaggeschi sono quasi esaurite, lo stile del lombardo viene ripreso anche al di fuori delle scene di genere, applicato, come qui, con successo a nuovi soggetti da parte di Bartolomeo Manfredi.

■ Giovanni Baglione, *Amor sacro e amor profano*, 1602, Roma, Galleria Nazionale di Arte Antica. Il momento più significativo del periodo caravaggesco di questo artista. Dagli atti del processo del 1603 sappiamo che l'opera non piacque a Caravaggio, contrariato dal fatto che un rivale si appropriasse con successo delle innovazioni da lui introdotte.

■ Orazio Gentileschi, *I santi Cecilia, Tiburzio e Valeriano*, 1606-07 c., Milano, Pinacoteca di Brera. In una pala d'altare di impostazione tardomanierista, il Gentileschi usa il naturalismo del Merisi per la qualità tattile delle stoffe, mentre accenna al suo luminismo col bel brano di controluce nella figura che si affaccia alla porta.

95

I problemi di un carattere violento

I l carattere violento di Caravaggio non è leggenda, bensì un fatto attestato dai numerosi atti giudiziari che lo riguardano. A partire dalla fine del maggio del 1600 il suo nome compare nell'archivio del Tribunale dello Stato di Roma e, tranne in un caso in cui figura come paciere in una lite, è sempre legato a risse, aggressioni, disturbo della quiete pubblica, oltraggi di ogni genere (dall'insulto al lancio di piatti di carciofi), ingiurie, porto d'armi abusivo... Nelle prime biografie si legge che già il viaggio a Roma era stato causato da una condanna, o un'aggressione. Ma è a Roma che il carattere rissoso del pittore si manifesta completamente con le note conseguenze di querele, processi, incarcerazioni, fughe. Caravaggio riesce sempre a cavarsela con poco, spesso grazie ai protettori che garantiscono per lui, ma non ammette mai le sue colpe. Non sempre tuttavia può andare bene. Il fattaccio, l'episodio più grave, avviene nel 1606: in una rissa o forse un duello in Campo Marzio, probabilmente causato da discussioni su un presunto baro in una partita di pallacorda (si discute, pare, per mille scudi), il pittore ferisce a morte il capo della banda rivale, Ranuccio Tomassino da Terni, e poi scappa. La sua responsabilità viene accertata, scatta la condanna e ha inizio una fuga che lo porterà per sempre lontano da Roma.

■ Jaques Callot, *Scena di duello*. Il duello in cui Caravaggio uccise non fu l'unico: nel 1605, ricoverato per una ferita da spada, dichiarò di essersela procurato da solo.

■ La spada di Saulo è ormai un inutile strumento, solo un ricordo della passata vita di persecutore (particolare della *Caduta di san Paolo*, 1601 c., Roma, Santa Maria del Popolo).

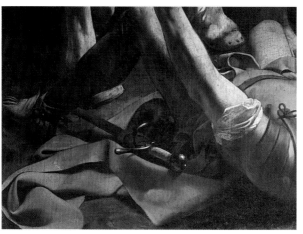

■ Una spada legata al fianco di un giovane elegante: simbolo del potere (*Vocazione di san Matteo*, particolare, 1600, Roma, San Luigi dei Francesi). Per girare armati nella Roma del Seicento, pena l'arresto, è necessario il porto d'armi: Caravaggio nel maggio del 1605 viene arrestato proprio perché viene sorpreso con porto d'armi abusivo.

■ *Marzio Colonna, Duca di Zagarolo da Domenico de' Santis*, "Columnesium Procerum", 1675, Roma. Per l'antico legame con la famiglia Colonna, Caravaggio riceve rifugio nella fuga da Roma, accolto non si sa se a Palestrina, a Paliano o a Zagarolo.

■ La spada che uccide san Matteo (*Martirio di san Matteo*, particolare, 1600, Roma, San Luigi dei Francesi) è resa con sapienza dal pittore che, fin dai primi esempi, mostra di conoscere bene le armi.

1600-1606

Cena in Emmaus

La versione della *Cena in Emmaus*, conservata alla Pinacoteca di Brera di Milano, è opera dei primi mesi della fuga. Dall'uso della luce alla posizione delle figure nello spazio, sono presenti tutti i caratteri del Caravaggio maturo.

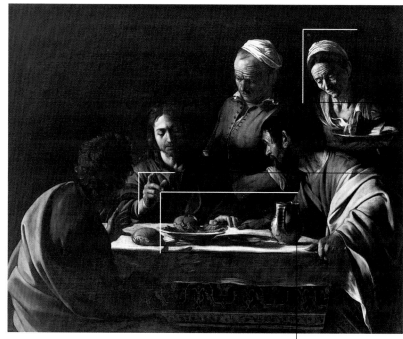

■ Particolarissima espressione della vecchia cameriera, personaggio non essenziale per la narrazione evangelica; con la sua aria meditabonda ha una funzione ben precisa tra gli astanti. Riconosciuto il gesto di Cristo, sembra recuperare con malinconia nella memoria qualcosa di conosciuto, ma ormai perduto e molto lontano.

■ Sant'Anna (part. della *Madonna dei Palafrenieri* di Caravaggio, Roma, Galleria Borghese), la modella è la stessa del periodo romano, ma sono diversi i valori luministici, perché diverso ne è il risalto nel nuovo contesto.

■ Bellissima è la mano benedicente di Gesù che con questo gesto si rende riconoscibile ai discepoli. In realtà l'atto della benedizione precede lo spezzare del pane, ma in questo caso, dove il pane è già spezzato, Caravaggio ha voluto prolungare nel tempo il gesto sublime.

■ La natura morta sulla tovaglia bianca, ridotta all'essenziale perché ogni oggetto risalti al meglio, è l'ultima che dipinge il Caravaggio. Il pane e il vino sono una allusione all'Eucarestia, alla quale l'artista aggiunge un modesto piatto di insalata, che riporta all'ambiente della povera locanda.

■ Caravaggio, *Cena in Emmaus*, 1696 c., Londra, National Gallery. Di dieci anni precedente, presenta particolari di maggior ricchezza, come l'esagerazione dei gesti di stupore, lo studio dal vero, la tavola ben imbandita e la proposta di un'antica iconografia nel Cristo imberbe.

Caravaggio, *Davide con la testa di Golia*, particolare, 1605-06, Rom

L'odissea e la tragedia
di una vita bruciata

Napoli, una capitale mediterranea

N‍apoli è capitale spagnola dal 1503, ma è a cavallo del Seicento che, a conclusione di interventi edilizi in ambito pubblico e privato, civile e religioso, si avvia a mutare aspetto e condizione: da antica capitale mediterranea a lungo marginale dal punto di vista civile e culturale, specie dopo il vice-regno di don Pedro di Toledo, assume ruolo di centro dinamico e aperto alla circolazione di idee ed esperienze altamente producenti. Il governo regio, fortemente accentrato, richiama il ceto aristocratico nella capitale che diventa luogo di concentrazione della ricchezza del Regno, tanto che anche i ceti professionisti e mercantili ne fanno sede d'elezione. Napoli è inoltre una città aperta a forme di organizzazione ecclesiale, disponibile alla penetrazione e all'elaborazione di nuove idee, nonché alla sperimentazione scientifica. Ora, per il confluire di consistenti risorse finanziarie destinate, per ragioni di prestigio e di riaffermazione istituzionale, alla rifondazione, all'ampliamento e all'ammodernamento degli edifici di culto e di rappresentanza, diviene anche attivissimo centro di esperienze figurative, variamente prodotte e orientate, ma tutte di ampio respiro culturale e omogeneamente indirizzate a una sostanziale unità di risultati.

■ Tra i problemi di cui la città fatica a liberarsi vi sono le incursioni piratesche.

■ *Il viceré Juan Alfonso Pimentel de Herrera*, incisione da Domenico A. Parrino, "Teatro Eroico", Napoli, 1692. L'autorità dei viceré spagnoli era assoluta, nonostante il controllo del Parlamento.

■ Ai primi del 1607 il viceré, per porre rimedio, alla carestia impone una tassa sulla frutta e il razionamento del pane, assicurando, invece, forniture di cibi costosi che il popolo non può permettersi.

■ Tra le più popolose città d'Europa con circa 270.000 abitanti, Napoli odia gli spagnoli, ma non si affanna a cacciarli, nella speranza che Madrid voglia inviare dei viceré meno incapaci; rimane, dunque la "fedelissima" dell'imperatore, anche se non mancano moti insurrezionali.

■ Il Maschio Angioino fu edificato da re Carlo I d'Angiò, ricostruito da Alfonso I d'Aragona, fortificato nel 1509-37 con i moderni bastioni spagnoli. Carlo V vi dimorò nel 1535 reduce dall'impresa di Tunisi e nel 1547 fu assalito dal popolo in rivolta contro il tribunale dell'inquisizione.

IL CONTESTO STORICO E ARTISTICO

■ Onorio Palumbo e Didier Barra, *San Gennaro intercede presso la Santissima Trinità per la salvezza di Napoli*, particolare, 1652 c., Napoli, Arciconfraternita della Trinità dei Pellegrini, una veduta della città pochi anni dopo il soggiorno di Caravaggio.

Il primo soggiorno napoletano di Caravaggio

A Napoli, unico centro che possa offrire l'opportunità di un lavoro in "grande", Caravaggio giunge prima del settembre 1606, grazie al denaro inviatogli da Ottavio Costa che aveva comprato la *Cena in Emmaus*; ma è certamente aiutato anche da Marzio Colonna che ha legami con la capitale ed era stato Gran Connestabile nel 1601. Vi rimane nove o dieci mesi, svolgendo un'intensa attività attestata, tra l'altro, dai conti bancari che risultano presso i Banchi di S. Eligio e di S. Spirito. La prima commissione che riceve è privata, anche se non identificabile con quella del commerciante Nicolò Radulovič che per primo si rivolge a Caravaggio: la *Madonna del Rosario* (Vienna, Kunsthistorische Museum), opera tutta napoletana per stile e scelta dei modelli. Per i Governatori del Pio Monte di Misericordia, subito dopo, realizza la *Madonna della Misericordia*, terminata entro dicembre e, nella primavera successiva, riceve i pagamenti per la *Flagellazione*; realizza poi il *David*, un'altra *Flagellazione* e forse la *Salomé*, e la *Crocifissione di sant'Andrea* che il viceré porterà in Spagna nel 1610. La permanenza di Caravaggio a Napoli è relativamente breve, ma talmente produttiva da influenzare l'arte locale, aiutandola a superare definitivamente la tradizione tardocinquecentesca e a volgersi verso la più moderna pittura del Seicento.

■ Battistello Caracciolo, *Salomé*, 1617 c., Firenze, Galleria degli Uffizi. Nella tragica scena della decapitazione del Battista si perde il senso del dramma, la rappresentazione dei sentimenti e degli stati d'animo, a favore di uno studio accorto di forme e volumi.

■ Caravaggio, *Flagellazione*, 1607, Napoli, Musei e Gallerie di Capodimonte. Mostra il grande contrasto tra l'umanità dura degli aguzzini e la divinità del corpo del Redentore.

■ Giovanni Battista Lama, *Deposizione*, 1580 c., Napoli, SS. Severino e Sossio. La tendenza "devozionale" della pittura meridionale del Cinquecento, punta su un realismo dai toni crudi.

■ Battistello Caracciolo, *Fuga in Egitto,* 1617 c., Napoli, Musei e Gallerie di Capodimonte. Dopo l'arrivo a Napoli di Caravaggio il Caracciolo si converte a un nuovo linguaggio naturalista anche se un po' freddo e accademico, come mostra l'uso della luce, priva di pathos, e la definizione troppo netta dei volumi.

1606-1610

Madonna del Rosario

Conservata al Kunsthistorisches Museum di Vienna, è una delle prime opere napoletane di Caravaggio, databile al 1606-07; tra i probabili committenti è stato indicato Marzio Colonna, per la sua devozione alla Madonna del Rosario.

■ L'ignoto donatore ritratto nel dipinto, decisamente rivolto al riguardante, potrebbe essere identificato con il mercante di Ragusa Niccolò Radulović, secondo alcuni effettivo committente dell'opera.

■ Splendido incontro di tante e diverse mani che esprimono sentimenti assai differenti e propagano come una levitazione luminosa in tutto il dipinto.

■ È il Bambino il centro geometrico di tutta la composizione; la Madre che lo abbraccia, con un particolare gesto verso San Domenico, sembra voler attirare su di sè gli sguardi, diventando così anche lei centro ideale della scena in quanto sorgente della Grazia. Pur rifacendosi alla tradizione della pala d'altare, il pittore si sente libero di fissare nuovi fulcri di interesse carichi di significato simbolico.

■ San Pietro martire, indicando la Madonna, fissa il riguardante lasciando che si veda chiaramente la ferita che ha sul capo, segno del suo martirio: la sua figura sembra acquistare qui un significato particolare nel momento della lotta controriformista, essendo stato egli stesso inquisitore e venerato come patrono della santa Inquisizione.

■ Caravaggio dà alle figure un carattere scultoreo non più mediante l'uso bresciano del colore, ma grazie a una luce più ariosa e avviluppante. Tutta la composizione è giocata sulla contrapposizione tra umile realtà umana e divina maestà ideale.

Le sette opere di Misericordia

La tela è commissionata dai Governatori del Pio Monte della Misericordia per l'altare maggiore della chiesa della confraternita, nella sede completata nel 1606 presso il duomo. L'opera frutta al pittore il generoso compenso di 470 ducati.

■ Dare da bere agli assetati: Sansone nel deserto di Lechi beve dalla sua arma l'acqua che il Signore ha fatto scaturire per lui.

■ Angeli "acrobati" che creano un vortice come segno dell'intervento celeste. Trasportano e frenano a un tempo la Vergine e il Bambino, lasciando che la concentrazione del riguardante sia attirata dalla rappresentazione in terra delle opere. In una prima redazione Caravaggio aveva dato a questo gruppo uno spazio inferiore. Bellissimo è l'instabile equilibrio creato per effetto della luce.

■ L'episodio tratto da Valerio Massimo in cui il vecchio Cimone in carcere viene allattato dalla figlia Pero riunisce la rappresentazione di due opere di misericordia tra le più profonde e spirituali: "visitare i carcerati" e "nutrire gli affamati", secondo l'immagine della cosiddetta "caritas romana".

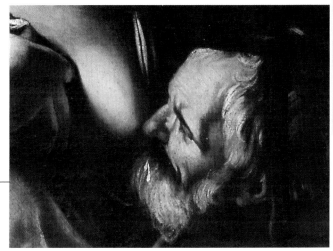

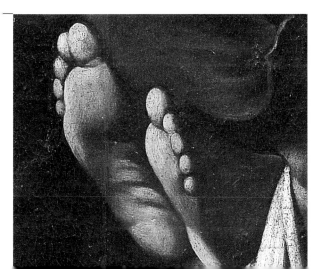

■ Della rappresentazione dell'opera "seppellire i morti" si vedono solo i piedi del cadavere, illuminati da un fascio di luce: non è l'unica fonte luminosa della tela, poiché, come avviene abitualmente, Caravaggio ne crea più d'una e attribuisce alla luce artificiale una funzione formante per tutte le figure che escono dal buio.

1606-1610

Malta, l'orgoglio dei cavalieri

■ Caravaggio, *Ritratto di un cavaliere di Malta* (Alof de Vignacourt?), 1608, Firenze, Galleria Palatina. Di straordinario virtuosismo tecnico nella resa della croce di seta, è forse l'ultima opera eseguita a Malta.

Quando Caravaggio giunge a Malta nel 1607 l'isola è da più di settant'anni dominio dell'ordine dei cavalieri di San Giovanni di Gerusalemme. Dal 1530, alla cessione di Carlo V delle isole maltesi come feudo perpetuo libero e franco, dipendente dalla corona di Sicilia, Malta vive il suo periodo più glorioso combattendo contro i turchi e contrastando le scorrerie dei corsari. L'ordine di San Giovanni di Gerusalemme, fondato alla fine del XI secolo da Goffredo di Buglione durante la prima crociata, era l'unico rimasto a difendere il Santo Sepolcro, mentre molti altri, pur gloriosi durante le guerre sante, si erano sciolti. E rimase solo anche nel XIV secolo, a difendere le coste dai turchi e dai corsari che infestavano i mari. L'ordine mantenne immutata nei secoli la sua organizzazione interna: capo della comunità era il Gran Maestro, eletto a vita e assistito da un consiglio capitolare formato da balì di ciascuna delle otto nazioni nelle quali erano riuniti i cavalieri. Questi erano celibi e nobili, dovevano fare voto di obbedienza, povertà e castità e dichiararsi pronti a prendere le armi in difesa della fede.

■ Francesco Bertelli,
Malta, da "Teatro delle
città d'Italia con figure
intagliate in rame",
1629. Baluardo di difesa
verso il mare contro
i turchi e i corsari, Malta
viene ceduta nel 1530
all'ordine cavalleresco
di san Giovanni
di Gerusalemme.

■ Caravaggio, *Ritratto
di Alof de Vignacourt
in armatura e il suo
paggio*, 1608 c,. Parigi
Musée du Louvre.
Insolito per l'epoca l'uso
di rappresentare
cavaliere e paggio;
il de Vignacourt, tuttavia,
amava circondarsi
di paggi, secondo
un'usanza cortese.

■ Abraham Louise
Rodolphe Durcos,
*Vista a volo d'uccello
di Valletta*, acquerello,
Losanna, Musée
Cantonal des Beaux-
Arts.

Celebrazione, arresto e fuga da Valletta

Spinto dal desiderio di ottenere la croce di cavaliere e nella speranza di trovare buone possibilità di lavoro nelle attività di abbellimento delle chiese dell'ordine a Valletta, Caravaggio si reca a Malta nel luglio 1607. È forse aiutato da fra' Ippolito Malaspina, balì dell'ordine a Napoli e amico di Ottavio Costa, per il quale, appena arrivato, dipinge il *San Girolamo* per la cappella della nazione italiana in San Giovanni. Caravaggio sta attendendo alla sua più bella opera maltese, la *Decollazione del Battista*, quando il 4 luglio viene nominato cavaliere: sul dipinto, infatti, la parola "fra" precede la firma (unica conservata del pittore); non essendo egli nobile, è ammesso tra i cavalieri "di grazia" per i suoi meriti artistici. La permanenza a Malta dà altri frutti: un *Amorino dormiente* (Firenze, Galleria degli Uffizi), forse un altro *San Girolamo*, perduto, e l'*Annunciazione*, ora a Nancy. Ma il buon avvio è interrotto dall'arresto dovuto a una lite o, più probabilmente, al giungere della notizia dell'omicidio e del bando da Roma, macchie inammissibili per un cavaliere. È di nuovo fuga dal carcere di Sant'Angelo, verso la Sicilia e l'approdo a Siracusa. Siamo a ottobre. Il primo dicembre verrà espulso dall'Ordine "tamquam membrum putridum et foetidum".

■ Anonimo, *Cattedrale di San Giovanni*, 1640 c., Valletta, Museo Nazionale delle Belle Arti. Iniziata nel 1573 dall'architetto mattese Gerolamo Cassar e ultimata nel 1577, la cattedrale fu chiesa conventuale dell'Ordine fino al 1798.

■ Veduta di Medina. Situata sull'altura, è capitale dell'isola fino al tempo della cessione ai cavalieri, da quel momento rimane residenza dell'arcivescovo.

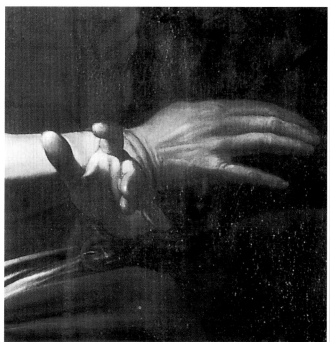

■ Caravaggio, *Incoronazione di spine*, particolare, 1602-3, Prato, Cassa di Risparmio e Depositi. Il motivo delle mani legate rispecchia le esperienze vissute dal pittore.

■ Caravaggio, *San Girolamo scrivente*, particolare, 1607, Valletta, Museo della cattedrale di San Giovanni. Forse la prima opera di Caravaggio a Malta, in cui è la luce che modella le forme.

Decollazione del Battista

Datato 1608, è il dipinto più grande eseguito da Caravaggio a Malta per l'oratorio della cattedrale dei cavalieri di San Giovanni a Valletta, su ordine del Gran Maestro de Vignacourt del quale è visibile lo stemma sulla cornice originale.

■ La vecchia servente ricorda tipi precedenti, come la cameriera della *Cena in Emmaus* di Brera, ma è compresa in un senso nuovo del dolore, visto come rassegnazione davanti all'ineluttabile.

■ I personaggi della scena hanno l'aria di attori rassegnati a un dramma che deve svolgersi per una volontà superiore. Solo il Battista, ormai morto, mostra un'espressione da personaggio vivo, conscio del suo sacrificio come vero precursore di Cristo sulla croce.

■ Un brano di architettura da parte di un artista solitamente poco disposto a questo tipo di ambientazione. Caravaggio si rivela grande esperto nell'utilizzare queste strutture per dare profondità spaziale e creare un rapporto nuovo tra le figure e l'ambiente che incombe su di loro. L'arcata corrisponde geometricamente alla posizione a lunetta dei personaggi in primo piano.

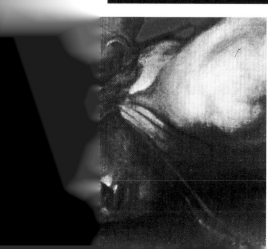

■ Nel rappresentare i due carcerati che assistono alla scena da dietro la grata, il pittore tiene presente le più antiche rappresentazioni della decollazione del Battista. La luce, che tocca le teste dei due uomini e lambisce le braccia del primo, sembra volerli trarre entro la scena come se fossero in primo piano.

115

Percorso siciliano

Siracusa non è l'approdo abituale per chi viene da Malta, ma qui c'è l'amico dei primi tempi romani, Mario Minniti. È lui che si impegna a trovare lavoro a Caravaggio: presentatolo al Senato ottiene per lui l'incarico per il *Seppellimento di santa Lucia* per la chiesa dedicata alla santa. Nel breve soggiorno conosce l'archeologo Mirabella che ricorderà (in una pubblicazione del 1613) di averlo portato alle carceri del tiranno Dionigi, ribattezzate dal Merisi "l'orecchio di Dionigi". Entro l'anno è a Messina dove, in otto mesi, completa quattro o cinque quadri, solo due dei quali sono rimasti. Il primo è una commissione di un ricco mercante genovese, Giovanni Battista de Lazzari, che lo richiede per la cappella votiva di famiglia nella chiesa dei Crociferi. Il Caravaggio risulta ancora cavaliere gerosolimitano: il titolo è un ottimo viatico per ottenere incarichi. Da questo primo ne deriva un altro per il Senato: un'*Adorazione dei pastori* per la chiesa dei Cappuccini che inaugura il genere della "natività povera": la commissione gli frutta ben 1000 scudi. Anche Messina è ben presto abbandonata alla volta di Palermo dove dipinge un'altra *Natività con i santi Francesco e Lorenzo*. È l'agosto del 1609.

■ Ritratto dell'amico siciliano Mario Minniti da *Memorie dei Pittori Messinesi*, C. Grosso Cacopardo, 1821, Messina.

■ La Sicilia in una carta di Willelm Janszoon Blaeu del 1635. Nelle opere siciliane si avverte l'angoscia del fuggiasco, costretto a nascondere il proprio passato.

■ Caravaggio,
Resurrezione di Lazzaro,
realizzata per i padri
crociferi di Messina nel
1609, oggi è al Museo
Regionale di Messina. La
Resurrezione è come un
fatto reale colto proprio
nell'attimo in cui accade.

■ Caravaggio, *Natività
con i santi Francesco e
Lorenzo*, 1609, Palermo,
oratorio del Collegio di
San Lorenzo. Vi è un
ritorno al convenzionale
ma presenta molti
elementi del Caravaggio
maturo.

■ Caravaggio,
*Seppellimento di santa
Lucia*, 1608, Siracusa,
chiesa di Santa Lucia.
Caravaggio ripropone
idee già sperimentate,
come la composizione,
che ricorda la *Morte della
Vergine*, mentre ha ormai
acquisito l'uso
dell'architettura per
ridurre la figura umana.

L'influsso del Caravaggio sulla pittura del meridione

■ Massimo Stanzione, *Orfeo picchiato dalle baccanti*, 1635, Milano, Banca Manusardi & C. Pur legato ai modelli dei caravaggeschi, Stanzione deve alla pittura emiliana il disegno perfetto, la natura morta, i panneggi.

■ Maestro dell'Annuncio dei Pastori, *L'olfatto*, 1630 c., Napoli, collezione De Vito. Nella scelta di interpretare in chiave naturalistica il simbolismo dei sensi vi è un richiamo al Ribera. Il naturalismo spinge a una resa concreta della realtà quotidiana.

L'Italia meridionale si rivela ambiente particolarmente fertile per il rinnovamento caravaggesco: le sue novità si inseriscono nella cultura figurativa locale con esiti particolarmente felici, elaborate insieme al filone classicistico, che proviene dalla conoscenza delle opere dei bolognesi. A Napoli, dove l'esperienza pittorica è maggiormente legata ai nordici e alla Spagna e dove, soprattutto, non vi sono forti retaggi rinascimentali, il naturalismo caravaggesco attecchisce rapidamente trovando, una propria evoluzione in artisti come Caracciolo, Stanzione o il calabrese Mattia Preti. Analogamente la Sicilia trova l'esperienza del Merisi addirittura naturale continuazione, oltre che un'innovazione, degli antefatti figurativi dell'isola, legati alle esperienze fiamminghe, a Antonello da Messina, fino a Polidoro da Caravaggio. Tuttavia lo spessore del naturalismo del nostro è talmente profondo che, pur incontrando immediata accoglienza da parte dagli artisti e dei committenti, lascia più che altro dietro di sé una serie di imitatori, non sempre capaci di comprendere del tutto la grandiosa e tragica novità del Caravaggio di questo periodo rispetto alle opere romane. I più infatti, come il messinese Rodriguez, guardano a quelle, limitandosi a trarre, dal Caravaggio più maturo, superficiali accentuazioni della luci.

■ Alonso Rodriguez, *Incredulità di san Tommaso*, Messina, Museo Nazionale. Alonso Rodriguez è uno dei più qualificati seguaci di Caravaggio.

■ Mattia Preti, *San Sebastiano*, 1657 c., Napoli, Musei e Gallerie di Capodimonte. Della lezione caravaggesca appresa a Roma e rimeditata a Napoli, Preti accentua qui soprattutto l'importanza della luce che articola le forme e lo scorcio trasversale per dare alla figura una vitalità ormai barocca.

■ Pietro Novelli, *Lo sposalizio della Vergine*, 1647, Palermo, San Matteo. L'accentuazione luministica che isola le singole figure dando ad esse un valore elegiaco, è tratta dal Caravaggio siciliano.

Opere perdute, opere scomparse, misteri e sorprese

■ Caravaggio, *Incoronazione di spine*, 1602-03, Prato, Cassa di Risparmio e Depositi. Non citato dalle fonti, considerato una copia ed esposto per la prima volta nel 1951, il dipinto fu dal Longhi "attribuito a Caravaggio" e, restaurato nel 1974, ne fu accreditata l'autografia. Si presume sia da collocare tra le opere per San Luigi dei Francesi e Santa Maria del Popolo e la fase monumentale della *Deposizione* vaticana.

Le particolari vicende di Caravaggio "dopo Caravaggio" - una fortuna che si arresta al 1630, poi l'oblio nel Settecento e la riscoperta del secolo successivo - hanno contribuito a generare confusione sul *corpus* delle sue opere, tanto che, anche con l'aiuto di documenti e biografie, non sempre le varie informazioni coincidono. Oggi, di fronte a un nucleo di assoluta autenticità, vi è ancora un piccolo gruppo di opere di dubbia attribuzione. Tra le più problematiche vi sono quelle non citate dalla letteratura antica, comparse insieme al nuovo interesse per l'artista e che, per tecnica e iconografia, avrebbero tutte la carte in regola. Non meno difficile è la questione delle "copie", anzi "repliche" di originali certamente autografi. Per non parlare della questione delle opere scomparse, citate dalle fonti o note attraverso copie. Infine non mancano i casi di riattribuzione (*Narciso*, Galleria Nazionale di Roma) o di opere ritrovate, come il recente riconoscimento, in seguito a restauro, della *Cattura di Cristo*.

■ Caravaggio, *Cristo alla colonna*, Rouen, Musée des Beaux-Arts. Fu acquistato dal museo nel 1955 come opera di Mattia Preti. Non vi sono documenti che confermino un'autografia ancora incerta. A sostenere l'attribuzione a Caravaggio è la tecnica usata, senza impiego di disegno preparatorio, ma con vaghi segni tracciati sull'imprimitura con il manico del pennello.

■ Caravaggio, *David*, Madrid, Museo del Prado. Privo di menzione nella letteratura antica, presenta ancora il problema irrisolto dell'iconografia, piuttosto complessa: si tratta di un originale o di una copia? Oppure di "una copia da Caravaggio" o "un originale di un seguace"?

■ Caravaggio, *Cattura di Cristo*, 1602-03, Dublino, National Gallery of Ireland. Fino a poco tempo fa attribuito a Gérard von Honthorts, grazie al restauro del 1993 si è potuto riconoscervi la mano del lombardo. È conosciuta in alcune copie, come quella di Odessa.

1606-1610

Il ritorno a Napoli

Il 24 di agosto 1609 Caravaggio risulta essere a Napoli. La Sicilia è stata solo la tappa di un viaggio che deve riportarlo a Roma per la remissione del bando. Non si tratta più di fuggire, ma di cercare di tornare a una vita normale, eppure il suo passaggio siciliano è ricordato come quello di chi ha ormai perso la speranza e con questa il senno. Il suo cliente, Niccolò di Giacomo, lo ricorda come "cervello stravolto" e, un secolo dopo, il Susinno "scimunito e pazzo", "rompicollo e contenzioso", "cervello forsennato". Anche in questo caso la sua presenza a Napoli è resa nota da un fatto di sangue, un'aggressione che subisce all'ingresso dell'osteria del Cerriglio: inizialmente risulta che il pittore sia rimasto ucciso, o almeno sfregiato, secondo il Baglione e il Bellori, per mano di un suo "nemico" Maltese. Il soggiorno napoletano dura fino al luglio del 1610 e vede l'artista più che mai attivo. Le opere più importanti, le prime richieste, sono andate perdute nel terremoto del 1805: tre dipinti per la Chiesa dei Lombardi residenti a Napoli tra cui un'impressionante *Resurrezione* in cui Cristo balzava dal sepolcro passando tra le guardie. Un'altra prestigiosa commissione, il *Martirio di sant'Orsola*, abbandonerà presto Napoli, imbarcato per Genova il 27 maggio 1610.

■ Caravaggio, *San Giovanni Battista*, 1609-10, Roma, Galleria Borghese. Recupera un tema prediletto in tempi passati, quello del giovane nudo maschile.

■ Caravaggio (attr.) *Il cavadenti*, 1609-10, Firenze, Galleria Palatina. Pur non essendo certa l'attribuzione, *Il Cavadenti* presenta elementi indubbiamente suoi: come la ripresa di un soggetto di genere reso con un repertorio proprio.

■ Caravaggio, *San Giovanni Battista alla sorgente*, Valletta, collezione Bonello. Forse il quadro che il pittore portò nella feluca durante il ritorno a Roma nel 1610. Suo è il tema del ragazzo che beve alla sorgente.

■ Caravaggio, *Martirio di sant'Orsola*, 1610, Napoli, Musei e Gallerie di Capodimonte. Il martirio è ridotto all'essenziale, con le mezze figure e la scena colta nel culmine della violenza avvenuta.

Davide con la testa di Golia

Opera dell'ultimo Caravaggio, conservata alla Galleria Borghese e databile tra il 1609 e il 1610. Forse spedita al cardinale Borghese in seguito alla domanda di grazia, è l'ultima raffigurazione del giovane Davide che uccide il gigante.

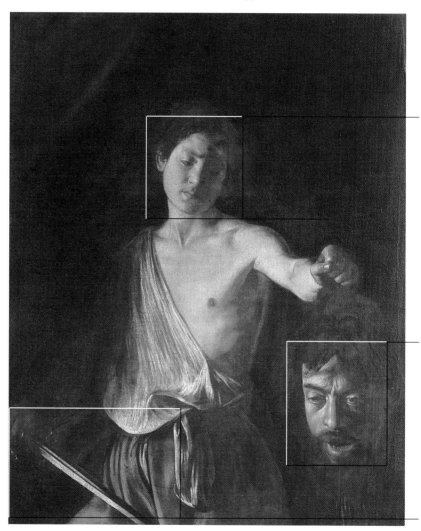

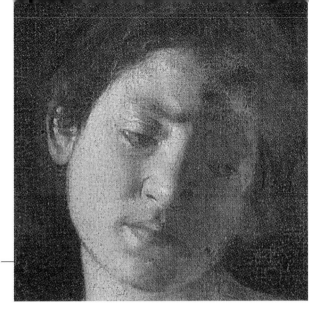

■ La scelta iconografica è del tutto personale: Davide non è qui un trionfatore, prefigurazione biblica di Cristo, ma ha un'espressione triste e si muove in un'insolita atmosfera di tragedia. L'espressione del vincitore porta a privilegiare la vittima, simbolo della vanità del potere terreno.

■ Il confronto con un altro autoritratto di Caravaggio (dal *Martirio di san Matteo*, 1600, Roma, San Luigi dei Francesi) ha permesso di identificare il volto dell'artista in quello di Golia, la cui espressione è qui particolarmente tragica.

■ La testa di Golia che gronda sangue nel buio, già nella descrizione che fa il Bellori, è considerata crudo autoritratto del pittore, forse da mettersi in rapporto con lo sfregio subito a Napoli poco dopo il suo arrivo. Il volto stralunato è l'immagine dello sconfitto che ha ancora dentro di sé un'ultima fiamma di vita.

■ La spada, più volte presente nell'opera dell'artista, ora è rappresentata in maniera decisamente semplificata, come a dimostrare una certa stanchezza verso l'uso delle armi.

IL CONTESTO STORICO E ARTISTICO

Il sopravvento degli emiliani

Dopo la felice impresa di Annibale Carracci alla Galleria Farnese, una schiera di emiliani si trasferisce a Roma e trova straordinario successo, giungendo quasi a una condizione di monopolio nella decorazione di ville, chiese e palazzi, almeno per i primi due decenni del secolo. Sono pittori che hanno scelto una pittura idealizzata, legittima e "ragionevole" rappresentazione della natura poiché non ne imita le forme imperfette, ma al contrario le nobilita. All'origine di questo gruppo (dopo i tre cugini Carracci giungeranno a Roma Albani, Reni, il Domenichino, il Guercino) vi è una formazione di scuola che, una volta stabiliti i principi, le tecniche e i modi di esecuzione, agevola la realizzazione dei cicli richiesti dalle grandi commissioni. L'arte che propongono gli emiliani è di aspetto comunicativo, propagandistico e appetibile, lontana dalle severità dei tempi duri e condivisa da una committenza che certo contribuisce al suo successo. È un'arte di nuovo gusto che mira a recuperare il godimento visivo e finisce per imporsi come lingua ufficiale della chiesa cattolica, decretando così la morte dell'idioma caravaggesco.

■ Francesco Albani, *L'acconciatura di Venere*, 1622 c., Roma, Galleria Borghese. Un paesaggio lirico ricco di citazioni classicistiche.

■ Guido Reni, La turbantina, particolare del *Martirio di sant'Andrea*, 1608, Roma, San Gregorio al Celio. Nella prima produzione romana è ancora presente una razionale lucidità del dettato pittorico, che recupera il Cinquecento. Reni persegue un'idea autonoma della bellezza e del pathos antico filtrandola attraverso Raffaello.

■ *Ritratto di Francesco Alban*i da Carlo Cesare Malvasia, *Vite de' Pittori bolognesi*, 1678. I pittori emiliani, probi e lavoratori, danno sicure garanzie di portare a termine il lavoro senza rischi per i committenti.

■ *Ritratto di Guido Reni* da Carlo Cesare Malvasia, *Vite de' Pittori bolognesi*, 1678. Il più originale tra gli artisti bolognesi a Roma.

■ Guercino, *Aurora*, 1621, Roma, casino Ludovisi. Dipinta in competizione con l'*Aurora* del Reni a Palazzo Borghese, questa dea già barocca appare quasi terrena.

1606-1610

L'agonia sulla spiaggia tra il terrore e la speranza

Ai primi di luglio del 1610 Caravaggio lascia Napoli e si imbarca alla volta di Roma a bordo di una feluca con pochi suoi averi tra cui, forse, anche un quadro raffigurante San Giovanni Battista (quello della Borghese o quello della Collezione Maltese Vincenzo Bondello?). La notizia ufficiale della grazia promessa da papa Paolo V, dovuta all'intervento del cardinale Ferdinando Gonzaga (e all'interessamento presso la corte pontificia del cardinale Scipione Borghese), non è ancora giunta e per questa ragione non è prudente approdare direttamente sulle coste degli Stati Pontifici; è molto più sicuro che la feluca si fermi presso i presidi toscani del Regno di Napoli, al Monte Argentario. La precauzione non è sufficiente perché il pittore, al suo arrivo, viene fermato e arrestato. Secondo il Bellori si tratterebbe di un errore di persona, infatti, la guardia spagnola lo libera prontamente. Tuttavia gli eventi hanno ormai preso un andamento che non lascia presagire nulla di buono. Caravaggio, appena liberato, preso dall'ansia e dall'angoscia, tenta di recuperare la sua feluca che è scomparsa e che cerca setacciando disperatamente il litorale. Non c'è più speranza: colpito da una febbre maligna secondo alcuni, in seguito alle ferite mal curate dell'aggressione di Napoli, secondo altri, o addirittura assassinato, in pochi giorni giunge alla morte, a Port'Ercole e lì verrà seppellito. È il 18 luglio 1610.

■ Caravaggio, *Deposizione*, 1602-3, particolare, Roma, Musei Vaticani. All'interno della composizione il corpo di Cristo adagiato nel sepolcro risalta per la resa cromatica e luministica che, nella scena sacra, esalta la plasticità senza attenuare il senso di abbandono alla morte.

■ Spiaggia della Versilia. "Più la feluca non ritrovava si, che postosi in furia, come disperato andava per quella spiaggia sotto la sferza del Sol Leone [..] Ultimamente arrivato in un luogo della spiaggia misesi in letto con febbre maligna; e senza aiuto humano tra pochi giorni morì malamente, come appunto male havea vivuto." Baglioni.

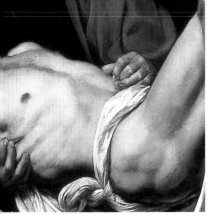

■ Caravaggio, *Cristo alla colonna*, particolare, 1607 c., Rouen, Musées des Beaux-Arts. Lo sguardo di Cristo non cerca aiuto nel momento del supplizio, ma rivela l'angoscia nella consapevolezza dell'offerta del suo sacrificio.

■ Caravaggio, *Martirio di san Matteo*, particolare, 1600, Roma, San Luigi dei Francesi. Una delle invenzioni più originali nella scena del *Martirio* è quella del chierichetto che urla terrorizzato alla vista dell'assassino: è la reazione immediata di chi, sopraffatto dalla paura, non sa come trovare scampo.

■ Caravaggio, *Morte della Vergine*, particolare, 1600 c., Parigi, Musée du Louvre. Il pianto sommesso esprime il dolore di un apostolo di fronte alla morte.

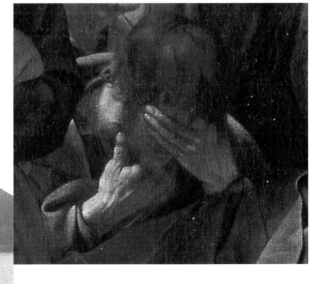

129

Dopo la morte: un esempio per l'arte europea

■ Georges de La Tour, *San Giuseppe falegname*, 1640 c., Parigi, Musée du Louvre. L'artista, partendo da un'indagine realistica, secondo la propria visione del naturalismo caravaggesco, organizza la realtà entro una costruzione formale.

L'eccezionale figura di Caravaggio rimane più che mai viva dopo la sua morte. Una sconvolgente genialità che ha creato seguaci in tutta l'arte europea. Tra i pittori spagnoli, per esempio, lo Spagnoletto (attivo a Napoli), pur non avendo conosciuto di persona il Merisi, ne fa proprie le particolari gamme cromatiche e la predilezione per la raffigurazione dei corpi, elementi chiave che porterà in Spagna dove saranno in seguito adottati dal grande Velázquez. La luce colpisce in particolare i nordici che però non sempre riescono a imitarla senza virtuosismo, perdendo di vista l'elemento principale della ricerca del naturalismo. L'imitazione, l'interpretazione, la ripresa o la citazione di Caravaggio sembrano non fermarsi nel corso della storia dell'arte: variamente considerato, apprezzato o criticato, egli rimane un punto di riferimento. Dopo un secolo in cui l'interesse per l'artista è notevolmente ridotto, nell'Ottocento vi è un'indubbia ripresa, visibile dalle copie e dall'influenza su artisti come Géricault che si esercita copiando la *Deposizione* vaticana e risente del suo luminismo nella *Zattera della Medusa*.

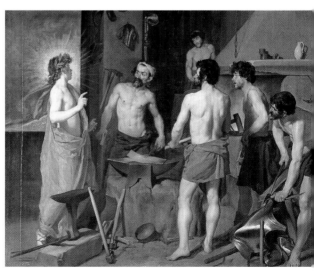

■ Velázquez, *La fucina di Vulcano*, 1630, Madrid, Museo del Prado. L'influenza di Caravaggio sulla trattazione di questo tema mitologico è evidente nella quotidianità dell'ambientazione e nella trattazione dei corpi "al naturale" per mezzo del chiaroscuro.

■ Gérard von Honthorst, *Riunione allegra*, 1617 c., Firenze, Galleria degli Uffizi. Questo artista trova grande successo nella ripresa dei modi caravaggeschi, non solo nell'uso artificiale del lume (qui usato da due fonti nascoste), ma anche nella scena di genere.

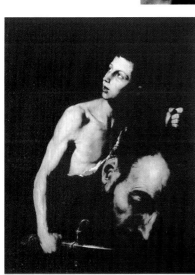

■ Jusepe Ribera, lo "Spagnoletto", *Davide con la testa di Golia*, 1630 c., Madrid, collezione privata. Interpretazione molto personale del naturalismo caravaggesco. Gusto per modelli di diretta immediatezza che, illuminati con la violenza del tenebrismo, emergono da fondi scuri.

■ Théodore Géricault, *La zattera della Medusa*, 1818-19, particolare, Parigi, Musée du Louvre. Evidente il luminismo di Caravaggio nella resa dei corpi colpiti dalla luce.

Caravaggio, *Amorino dormiente*, 1608, Firenze, Galleria Palatina.

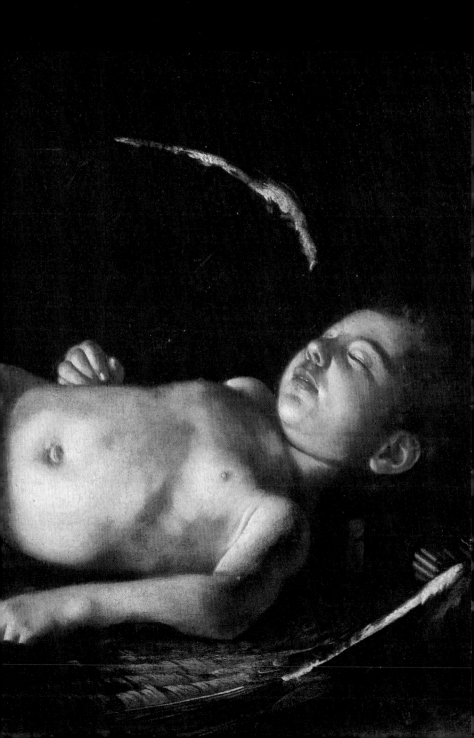

■ Caravaggio, *Amore vincitore*, 1598-99, Berlino, Staatliche Museen.

■ Caravaggio, *Testa di Medusa*, 1596-98 c., Firenze, Galleria degli Uffizi.

■ Pietro Miotte, *Veduta di Napoli,* particolare del porto, incisione, 1648.

Martirio di san Matteo, pp. 64-65, 97, 125, 129;
Vocazione di san Matteo, pp. 66-67, 97.

■ Roma, Palazzi Vaticani.

■ Caravaggio, *San
Giovanni Battista*,
1604-05, Roma, Galleria
Nazionale di Arte Antica.

■ Vienna,
Kunsthistorisches
Museum.

■ Filippo Vittari, *Veduta
a volo d'uccello della
città di Messina*, XVII
secolo, già Roma,
Galleria Gasparrini.

Legenda

Tutti i personaggi qui citati sono artisti, intellettuali, politici, uomini d'affari che in un modo o nell'altro hanno legato il proprio nome a quello di Caravaggio o alla sua opera, nonché artisti a lui contemporanei oppure operanti nelle stesse città.

Aratori Lucia, madre di Caravaggio, alla morte del marito mantenne da sola la sua numerosa famiglia, p. 10.

Baglione Giovanni (Roma 1573 c. - 1644), pittore e storiografo dell'arte, autore dell'opera *Le vite dei pittori, scultori et architetti*, nella quale è racchiusa una biografia di Caravaggio, suo rivale artistico a Roma, pp. 11, 70, 95, 122.

Baschenis Evaristo (Bergamo 1617 - 1677), pittore, autore di nature morte che si rifanno a Caravaggio, p. 45.

Bellori Giovan Pietro (Roma 1613 - 1696), antiquario e storico dell'arte, scrisse *Vite de' pittori,*

scultori e architetti moderni (1672), opera in cui si occupò ampiamente anche di Caravaggio, pp. 122, 128.

Borromeo Carlo (Arona 1538 - Milano 1584), cardinale arcivescovo di Milano dal 1560, fu uno degli esponenti più attivi della controriforma, pp. 8, 46, 47.

Borromeo Federico (Milano 1564 - 1631), arcivescovo di Milano dal 1595, collezionista d'arte e studioso, fondò tra l'altro la Biblioteca Ambrosiana. La sua figura e la sua opera influirono sul sentimento religioso di Caravaggio e dunque sulla sua arte, pp. 8, 46, 47, 48, 55, 80.

■ Evaristo Baschenis, *Scrigno, mappamondo e strumenti musicali*, 1650 c., Venezia, Gallerie dell'Accademia.

■ Giovanni Battista Caracciolo detto il Battistello, *Natività di Maria*, primo quarto del XVII secolo, Napoli, Oratorio dei Nobili della Compagnia di Gesù.

Brueghel Jan il Vecchio detto
dei Velluti (Bruxelles 1568 -
Anversa 1625), pittore,
secondogenito di Pieter
il Vecchio, trasse dal padre
un'inesauribile inventiva e una
grande forza vitale, studiò a Roma
presso il cavalier d'Arpino, p. 26.

Bruno Giordano (Nola 1548 -
Roma 1600), filosofo e letterato,
giudicato eretico dall'Inquisizione
romana e perciò condannato al
rogo; il suo pensiero, la sua figura
e forse la sua stessa morte
influenzarono il pensiero e l'arte
di alcuni artisti contemporanei,
tra i quali Caravaggio, pp. 38, 63,
77.

Caracciolo Giovanni Battista
detto il Battistello (Napoli 1570 -
1637), pittore, aderì
all'esperienza di Caravaggio forse
ancor prima dell'arrivo di questi
a Napoli (1606), pp. 104, 105.

Carracci, famiglia di pittori
e incisori dei secoli XVI e XVII
cui si fa risalire la fondazione
dell'Accademia degli Incamminati,

detta anche del Naturale, poiché
raggruppava artisti impegnati
a dare alla pittura un significato
nuovo di verità; il membro più
famoso della famiglia fu forse
Annibale (Bologna 1560 - Roma
1609), pittore e incisore a sua
volta, chiamato a Roma a decorare
palazzo Farnese, apprezzato, tra
l'altro, per i temi naturalistici
e gli eleganti paesaggi; una sua
opera trovò posto nella cappella
Cerasi, poco prima delle tele
caravaggesche (1601), pp. 34, 35,
36, 53, 74, 84, 126, 128.

Cavalier d'Arpino, Giuseppe
Cesari detto il (Arpino 1568 -
Roma 1640), pittore assai famoso
ai suoi tempi, realizzò imponenti
imprese decorative a Roma,
Napoli, Frascati tra il 1592 e il
1610; Caravaggio dapprima lavorò
nella sua bottega, poi divenne suo
rivale nella decorazione della
cappella Contarelli in San Luigi
dei Francesi, pp. 26, 38, 40, 44, 60, 62.

Colonna Costanza, moglie
di Francesco I Sforza, resse il
marchesato alla morte del marito
e protesse la famiglia Merisi,
p. 10.

Colonna Marzio, amico e
protettore di Caravaggio, lo aiutò
a trovare sistemazione e lavoro
a Napoli, pp. 104, 107.

Del Monte cardinale, membro
della Fabbrica di San Pietro,
commissionò a Caravaggio le tele

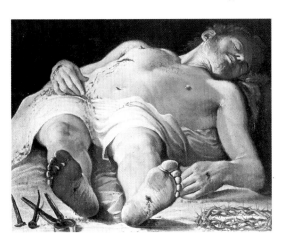

■ Georges de La Tour,
Il suonatore di ghironda,
1631-36 c., Nantes,
Musée des Beaux-Arts.

■ Andrea Mantegna,
*Madonna col Bambino
e un coro di cherubini*,
1485, Milano, Pinacoteca
di Brera.

Giulio Romano, Giulio Lippi detto (Roma 1499 - Mantova 1546), pittore e architetto, allievo di Raffaello, costruì e affrescò a Mantova Palazzo Te, influenzando, con le sue invenzioni di scorci e prospettive, la pittura lombarda del Cinquecento, p. 20.

Giustiniani Vincenzo marchese, fu tra i primi committenti di Caravaggio a Roma, pp. 16, 17, 61.

Honthorst Gérard van, detto in Italia Gherardo delle Notti (Utrecht 1590 - 1656), pittore olandese, si ispirò al naturalismo caravaggesco dipingendo notturni (da qui derivò il soprannome italiano), quadri di genere sacro e interni, p. 131.

La Tour Georges de (Vic-sur-Seille 1593 - Lunéville 1652), pittore francese; per la sua

formazione artistica fu determinante l'influsso di Caravaggio e dei protagonisti del naturalismo secentesco, accanto ai quali probabilmente lavorò durante un giovanile viaggio in Italia, p. 130.

Leonardo da Vinci (Vinci, Firenze 1452 - Amboise 1519), pittore, scultore, architetto, ingegnere, scrittore, concepì l'indagine scientifica come complemento all'operare artistico. La sua *Vergine delle Rocce* fu probabilmente ammirata dal giovane Caravaggio nella chiesa di San Francesco Grande a Milano, pp. 12, 13, 46, 86.

Manfredi Bartolomeo (Ostiano, Cremona 1587 c. - Roma 1620), pittore, scrupoloso seguace del Caravaggio ne diffuse lo stile in tutt'Europa, p. 94.

Mantegna Andrea (Isola di Carturo, Padova 1431 - Mantova 1506), pittore e incisore, realizzò opere di alta potenza drammatica che influenzarono profondamente i contemporanei e gli artisti delle generazioni successive per la modellazione dei corpi e gli effetti plastici e cromatici, p. 20.

Melandroni Fillide, modella di Caravaggio, ispirò il volto di alcuni

famosi personaggi femminili da questi raffigurati, p. 57.

Merisi Fermo (? - 1576) architetto, padre di Michelangelo, fu *magister* presso Francesco I Sforza, p. 10.

Moretto, Alessandro Bonvicino detto il (Brescia 1498 - 1554 c.),

■ Massimo Stanzione,
Sant'Agata in carcere,
1630 c., Firenze, Palazzo
Vecchio.

luministiche e nell'uso del
chiaroscuro, pp. 72, 73.

Salviati Cecchino, Francesco
de' Rossi, detto Cecchino S.
(Firenze 1510 - Roma 1563),
pittore di primo piano nell'ambito
del manierismo, attivo a Roma
verso la metà del Cinquecento,
poi a Firenze, Venezia (dove
lavorò con Giovanni da Udine),
Mantova, Verona, Parma, p. 31.

Savoldo Giovan Gerolamo
(Brescia 1480 c. - Venezia 1550 c.),
pittore, influenzato da Giorgione
eTiziano, esponente della scuola
lombarda, è considerato tra i
maggiori ispiratori del luminismo
di Caravaggio, pp. 20, 21.

Sforza Francesco I, marchese
di Caravaggio (? - 1583),
protettore e datore di lavoro
del padre di Caravaggio, p. 10.

Sisto V (Grottammare 1520 -
Roma 1590), al secolo Felice
Peretti, divenne papa nel 1585;
legò il suo nome a importanti
riforme finanziarie e alla
costruzione e ristrutturazione di
notevoli opere pubbliche a Roma,
pp. 28, 29, 36, 46.

Stanzione Massimo (Orta di
Atella, Caserta 1585 - Napoli
1656), pittore, seguace del
realismo caravaggesco, operò una
svolta nella pittura napoletana del
Seicento, pp. 118, 119.

**Valentin o Jean de
Boulogne,** o Jean V., detto anche
Moïse V. (Coullommiers 1594 -
Roma 1632), pittore francese,
allievo a Roma di Bartolomeo
Manfredi, attraverso di questi
subì l'influenza di Caravaggio;
viene perciò considerato uno dei
primi caravaggeschi. Predilesse la
pittura di genere e rappresentò il
mondo dei bassifondi romani,
popolato da bevitori, zingare,
giocatori, soldati, p. 40.

Vecellio Tiziano (Pieve di
Cadore 1490 ? - Venezia 1576), tra

■ Tiziano Vecellio,
Autoritratto, 1562,
Berlino, Staatliche
Museen.

i più grandi della scuola veneziana
del Cinquecento, influenzò i
pittori lombardi tra i quali il
giovane Caravaggio, pp.13, 15.

Vignacourt Alof de, Gran
Maestro dell'ordine dei Cavalieri
di Malta, ritratto da Caravaggio
durante il suo soggiorno a Malta,
gli affidò anche la realizzazione
della *Decollazione del Battista*,
per l'oratorio della chiesa dei
Cavalieri di San Giovanni a
Valletta, pp. 110, 111, 114.

■ Valentin de Boulogne,
San Giovanni Battista,
1628-30 c., Camerino,
Santa Maria in Via.

Collana di monografie tascabili
a cura di Stefano Peccatori e Stefano Zuffi

Testo di Rosa Giorgi

Referenze fotografiche
Archivio Electa.
Si ringraziano i musei e gli archivi fotografici che
hanno gentilmente fornito il materiale iconografico.
L'editore è a disposizione degli aventi diritto per
quanto riguarda eventuali fonti iconografiche non
individuate.

Progetto editoriale realizzato con
La Biblioteca editrice s.r.l., Milano

Questo volume è stato stampato dalla Elemond
s.p.a. presso lo stabilimento di Martellago (Venezia)
nell'anno 1998